Practice Workbook
TEACHER'S EDITION

High School **3**

Español
Santillana

SANTILLANAUSA
Language Education Experts

Writers:
Michele C. Guerrini
Mercedes Fontecha
María A. Pérez

Developmental Editor:
Mercedes Fontecha

Editorial Coordinator:
Anne Smieszny

Editorial Director:
Enrique Ferro

Español Santillana.
Practice Workbook. Teacher's
Annotated Edition 3
ISBN-13: 978-1-61605-915-6

Illustrators: **José Zazo**
Picture Coordinator: **Carlos Aguilera**

Production Manager: **Jacqueline Rivera**

Design and Layout: **Jorge Borrego,**
Hilario Simón, Raquel S.Mayo

Proofreaders: **Marta López**

Photo Researchers: **Mercedes**
Barcenilla, Amparo Rodríguez

1 2 3 4 5 6 7 8 9 TS 24 23 22 21 20 19
Published in the United States
of America.

Índice

Preliminary Unit

2

Contenidos

Nombre: .... Fecha: ....

1 **Tus datos personales**

▶ **Completa** esta ficha con tus datos personales.

ANSWERS WILL VARY

Nombre: __Helen__

Apellido(s): __Wilson__

Lugar de nacimiento: __Athens, GA__

Fecha de nacimiento: __5 de febrero de 1998__

Domicilio: __calle Washington, 47 Charlotte, NC 28207__

2 **Tus rasgos de personalidad**

▶ **Marca** los rasgos de personalidad que te identifican.

ANSWERS WILL VARY

- ☐ estudioso(a)
- ☑ trabajador(a)
- ☐ perezoso(a)
- ☐ serio(a)
- ☑ gracioso(a)

- ☑ optimista
- ☐ pesimista
- ☐ paciente
- ☑ impaciente
- ☐ espontáneo(a)

- ☑ creativo(a)
- ☐ inteligente
- ☐ sincero(a)
- ☐ tímido(a)
- ☑ generoso(a)

3 **Tu estado de ánimo**

ANSWERS WILL VARY

▶ **Escribe.** ¿Cómo te sientes en tu primer día de clase en Español? Puedes usar las palabras del recuadro.

Estoy emocionada y muy contenta porque me gusta

el español, pero también estoy un poco nerviosa

porque no conozco al profesor. Estoy sorprendida

porque hay muchos estudiantes en la clase.

| aburrido(a) |
| contento(a) |
| emocionado(a) |
| confundido(a) |
| enojado(a) |
| nervioso(a) |
| sorprendido(a) |
| tranquilo(a) |
| triste |

4 **Tus aficiones**

ANSWERS WILL VARY

▶ **Marca.** ¿Cuáles de estas actividades te gusta hacer en tu tiempo libre?

☐ coleccionar sellos, monedas...

☑ ir al cine

☐ jugar al ajedrez, a los naipes...

☐ montar en bici, en monopatín...

☐ montar a caballo

☑ pasear

☑ patinar

☐ tocar la guitarra

☑ hacer senderismo

☑ jugar al fútbol, baloncesto, béisbol...

☐ hacer gimnasia

☐ esquiar

☑ Otras: __tomar fotos, escuchar música__

5 **El español y tú**

ANSWERS WILL VARY

▶ **Completa** estas oraciones.

1. Lo que más me gusta de la clase de Español es __hablar en español__ __y aprender cosas de las culturas hispanas__.

2. Lo que menos me gusta de la clase de Español es __estudiar la gramática__ __y hacer exámenes__.

3. Este año en clase de Español quiero __mejorar mi pronunciación__ __y aprender más sobre la cultura hispana__.

6 **Tú eres así**

ANSWERS WILL VARY

▶ Con toda la información anterior, **escribe** una breve presentación sobre ti. Pega una foto que te represente muy bien.

Me llamo Helen Wilson y vivo en Charlotte, NC. Soy trabajadora y optimista, pero también soy un poco impaciente. Me gusta ir al cine y hacer deporte. Estoy contenta porque me gusta el español, pero también estoy un poco nerviosa.

Nombre: ....   **Fecha:** ....

CONTAR HECHOS ACTUALES

El presente de indicativo. Verbos regulares

-ar verbs		-er verbs		-ir verbs	
-o	-amos	-o	-emos	-o	-imos
-as	-áis	-es	-éis	-es	-ís
-a	-an	-e	-en	-e	-en

El presente de indicativo. Verbos irregulares

	SER	ESTAR	IR
yo	soy	estoy	voy
tú	eres	estás	vas
usted, él, ella	es	está	va
nosotros(as)	somos	estamos	vamos
vosotros(as)	sois	estáis	vais
ustedes, ellos(as)	son	están	van

¿Qué **quieres** hacer?

Podemos ver una película.

- *Stem-changing* **e > ie** *verbs:* c**ie**rro, c**ie**rras, c**ie**rra, cerramos, cerráis, c**ie**rran.
- *Stem-changing* **o > ue** *verbs:* p**ue**do, p**ue**des, p**ue**de, podemos, podéis, p**ue**den.
- *Stem-changing* **e > i** *verbs:* p**i**do, p**i**des, p**i**de, pedimos, pedís, p**i**den.
- *Some verbs have an irregular* **yo** *form:* **doy, conozco, hago, pongo, sé, traigo, veo, salgo.**

Verbos como *gustar*

me / te / le / nos / os / les + gusta(n)

A nosotros **nos gusta** la clase de Español.

El presente continuo

estar + gerundio*

Estamos estudiando español.   *The present participle normally ends with -ando or -iendo.*

---

7   **Un fin de semana en familia**

▶ **Escribe** oraciones con las palabras entre paréntesis. Usa el presente.

1. (El sábado por la mañana / mi madre y yo / hacer la compra)

   <u>El sábado por la mañana mi madre y yo hacemos la compra.</u>

2. (El sábado por la tarde / yo / salir con mis amigos)

   <u>El sábado por la tarde yo salgo con mis amigos.</u>

3. (El domingo / yo / pedir una pizza / y ver un partido)

   <u>El domingo yo pido una pizza y veo un partido.</u>

8 La rutina

▶ **Completa** estas oraciones.

1

María, ¿(poder) __**puedes**__, por favor, abrir la ventana?

2

En este restaurante yo siempre (pedir) __**pido**__ el dulce de leche.

3

Yo (hacer) __**hago**__ la tarta y (traer) __**traigo**__ algunos refrescos.

4

El supermercado (cerrar) __**cierra**__ los sábados por la tarde.

5

Jorge y Marta (ir) __**van**__ al cine todos los viernes.

9 ¿Qué están haciendo?

▶ **Completa** las oraciones para describir qué están haciendo estas personas.

1

__**Estoy escuchando**__ música.

2

__**Estamos leyendo**__ un libro.

3

__**Estoy escribiendo**__ un mensaje.

4

__**Estoy durmiendo**__ la siesta.

10 Háblame de ti

ANSWERS WILL VARY

▶ **Contesta** las preguntas con oraciones completas.

1. ¿Qué haces normalmente los fines de semana? Escribe tres cosas.

   __**Duermo mucho, salgo con mis amigos y juego al béisbol.**__

2. ¿Qué tipo de música te gusta más? ¿Y a tu mejor amigo(a)?

   __**Me gusta el pop. A mi mejor amiga le gusta el jazz.**__

3. ¿Qué hacen tú y tu familia en las vacaciones? Escribe dos cosas.

   __**Hacemos excursiones y vamos de cámping.**__

Nombre: _____   **Fecha:** _____

CONTAR HECHOS PASADOS

El pretérito. Verbos regulares

	HABLAR	COMER	ESCRIBIR
yo	hablé	comí	escribí
tú	hablaste	comiste	escribiste
usted, él, ella	habló	comió	escribió
nosotros(as)	hablamos	comimos	escribimos
vosotros(as)	hablasteis	comisteis	escribisteis
ustedes, ellos(as)	hablaron	comieron	escribieron

¿Ya **terminaste** la tarea?

Sí, ya **escribí** el ensayo para la clase de Historia.

- *Verbs ending in* **-car**, **-gar**, *and* **-zar** *change in the yo form.*

    bus**car** ⟶ bus**qué**   lle**gar** ⟶ lle**gué**   empe**zar** ⟶ empe**cé**

11 **Tengo una pregunta**

▶ **Completa** los diálogos. Usa el pretérito de los verbos entre paréntesis.

¿Qué (comprar, tú) **compraste** ?

(Comprar, yo) **Compré** unos pantalones.

Los (llamar, yo) **llamé** anoche, pero no (responder, ustedes) **respondieron**.

Anoche (salir, nosotros) **salimos** a cenar.

Juan, ¿(correr) **corriste** en la carrera de la escuela?

No. (Correr, yo) **Corrí** detrás del autobús y lo (perder, yo) **perdí**.

12 **¡Qué aburrido!**

▶ **Completa** el mensaje de correo que le envió Ana a su amiga Paula.
Usa el pretérito de los verbos del recuadro.

hablar salir responder llevar escribir invitar subir pasear preguntar

Para:	Paula
Asunto:	Carlos

Hola, Paula:

Por fin hoy te puedo escribir. No te __escribí__ anoche porque

__salí__ al cine con Carlos. Creo que es la última vez que salgo con

él. ¡Es aburridísimo! Después del cine me __invitó__ a dar un paseo.

No lo vas a creer, pero durante veinte minutos __paseamos__ los dos

en silencio. Carlos no __habló__ en todo ese tiempo. Yo le

__pregunté__ algunas cosas para iniciar la conversación, pero él

me __respondió__ con monosílabos. Después de ese silencioso paseo,

__subimos__ los dos al coche y Carlos me __llevó__ a casa.

Me parece que es un chico muy raro. ¿Qué piensas tú?
Besos,
Ana

13 **Una semana de mucha actividad**

▶ **Escribe.** ¿Qué hizo la semana pasada Javier?

LUNES	MARTES	MIÉRCOLES	JUEVES	VIERNES	SÁBADO	DOMINGO
estudiar para el examen	comer con Luis	asistir a clase de yoga	llamar a José	recibir a los nuevos estudiantes	lavar el coche	celebrar el aniversario de mis padres

El lunes Javier... **estudió para el examen. El martes comió con Luis.**

El miércoles asistió a clase de yoga. El jueves llamó a José. El viernes

recibió a los nuevos estudiantes. El sábado lavó el coche y el domingo

celebró el aniversario de sus padres.

Nombre: ....   **Fecha:** ....

CONTAR HECHOS PASADOS

El pretérito. Verbos irregulares

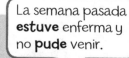

La semana pasada **estuve** enferma y no **pude** venir.

- *Stem-changing* **-ir** *verbs that change* **e** *to* **i** *in the present have the same change in the third person of the preterite:*
pedir → p**i**dió, p**i**dieron

- *The verbs* **dormir** *and* **morir** *are also irregular in the third person of the preterite tense (o > u):*
dormir → d**u**rmió, d**u**rmieron

	SER / IR	DECIR	TENER	ESTAR	HACER
yo	fui	dije	tuve	estuve	hice
tú	fuiste	dijiste	tuviste	estuviste	hiciste
usted, él, ella	fue	dijo	tuvo	estuvo	hizo
nosotros(as)	fuimos	dijimos	tuvimos	estuvimos	hicimos
vosotros(as)	fuisteis	dijisteis	tuvisteis	estuvisteis	hicisteis
ustedes, ellos(as)	fueron	dijeron	tuvieron	estuvieron	hicieron

	DAR	PODER	PONER	QUERER	SABER	VENIR
yo	di	pude	puse	quise	supe	vine
tú	diste	pudiste	pusiste	quisiste	supiste	viniste
usted, él, ella	dio	pudo	puso	quiso	supo	vino
nosotros(as)	dimos	pudimos	pusimos	quisimos	supimos	vinimos
vosotros(as)	disteis	pudisteis	pusisteis	quisisteis	supisteis	vinisteis
ustedes, ellos(as)	dieron	pudieron	pusieron	quisieron	supieron	vinieron

14   Mis vacaciones

▶ **Subraya** la forma correcta del pretérito en cada oración.

1. Este año *pedí* / *pidí* las vacaciones para el mes de julio.
2. *Vinimos* / *Venimos* de vacaciones el 3 de julio.
3. Mi familia y yo *siguimos* / *seguimos* un itinerario de viaje muy intenso.
4. *Estuvimos* / *Estamos* en tres países y en más de seis ciudades.
5. Yo *competí* / *compití* con mi hermano para ver quién tomaba más fotos.
6. Cuando volvimos, Alfredo *durmió* / *dormió* doce horas seguidas.
7. Cuando llegamos, no *podimos* / *pudimos* abrir la puerta de casa.
8. *Volvemos* / *Volvimos* el miércoles y el jueves *fui* / *voy* a trabajar.

15 **Sopa de letras**

▶ **Busca** en esta sopa de letras la primera persona del singular *(yo)* de estos verbos.

ser / ir

decir

tener

estar

hacer

O	P	U	D	Y	B	N	S	P	O
P	U	D	E	V	X	R	D	I	T
E	S	I	U	Q	A	E	S	J	K
L	E	Ñ	E	T	I	V	D	R	E
V	I	T	R	Z	F	U	I	A	C
I	S	M	E	R	O	T	J	L	I
N	A	E	S	T	U	V	E	S	H
E	Ñ	A	L	S	U	P	E	I	S

dar

poder

poner

querer

saber

16 **¿Qué hicieron?**

▶ **Escribe** una oración para describir lo que hicieron estas personas en sus vacaciones.

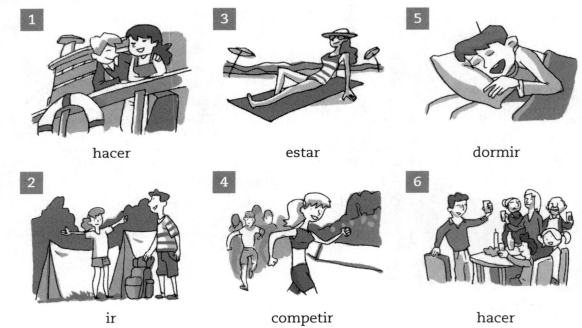

1 hacer

3 estar

5 dormir

2 ir

4 competir

6 hacer

1. Ellos hicieron un crucero.

2. **Ellos fueron de cámping.**

3. **Ella estuvo en la playa.**

4. **Ella compitió en una carrera.**

5. **Él durmió mucho.**

6. **Ellos hicieron una fiesta.**

Nombre: .... **Fecha:** ....

DAR ÓRDENES E INSTRUCCIONES

El imperativo afirmativo
Verbos regulares

CAMINAR	COMER	ESCRIBIR	
camina	come	escribe	tú
camine	coma	escriba	usted
caminad	comed	escribid	vosotros(as)
caminen	coman	escriban	ustedes

> **Presten** atención y **tomen** notas.

Verbos irregulares

TENER	HACER	PONER	VENIR	SALIR	
ten	haz	pon	ven	sal	tú
tenga	haga	ponga	venga	salga	usted
tened	haced	poned	venid	salid	vosotros(as)
tengan	hagan	pongan	vengan	salgan	ustedes

SER	DECIR	IR	DAR	
sé	di	ve	da	tú
sea	diga	vaya	dé	usted
sed	decid	id	dad	vosotros(as)
sean	digan	vayan	den	ustedes

17 Consejos para todos

▶ **Relaciona** cada situación con el consejo o la orden adecuada.

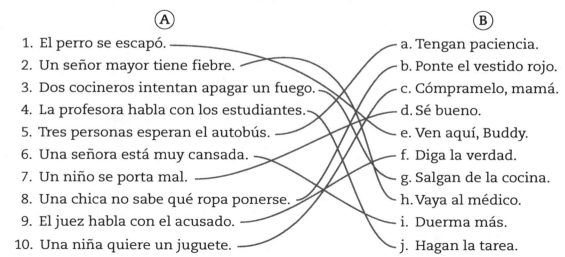

A

1. El perro se escapó.
2. Un señor mayor tiene fiebre.
3. Dos cocineros intentan apagar un fuego.
4. La profesora habla con los estudiantes.
5. Tres personas esperan el autobús.
6. Una señora está muy cansada.
7. Un niño se porta mal.
8. Una chica no sabe qué ropa ponerse.
9. El juez habla con el acusado.
10. Una niña quiere un juguete.

B

a. Tengan paciencia.
b. Ponte el vestido rojo.
c. Cómpramelo, mamá.
d. Sé bueno.
e. Ven aquí, Buddy.
f. Diga la verdad.
g. Salgan de la cocina.
h. Vaya al médico.
i. Duerma más.
j. Hagan la tarea.

ANSWERS WILL VARY

18 **Cómo hacer el guacamole**

▶ **Ordena** los pasos y escribe la receta con el imperativo de *usted*.

Guacamole

- Servir el guacamole.
- Añadir a la mezcla la cebolla, el ajo, el cilantro y el jugo de limón.
- Cortar en cubos pequeños un tomate y picar las cebollas, el ajo y el cilantro.
- Aplastar con un tenedor el aguacate.
- Moler el chile y añadir sal.
- Mezclar el aguacate con el chile molido y con el tomate.
- Pelar un aguacate.

Guacamole

1. __Pele un aguacate.__
2. __Aplaste con un tenedor el aguacate.__
3. __Corte en cubos pequeños un tomate y pique las cebollas, el ajo y el cilantro.__
4. __Añada a la mezcla la cebolla, el ajo, el cilantro y el jugo de limón.__
5. __Muela el chile y añada sal.__
6. __Mezcle el aguacate con el chile y con el tomate.__
7. __Sirva el guacamole.__

---

19 **Instrucciones de clase**

▶ **Completa** estas oraciones con el imperativo de *ustedes*. Usa los verbos del recuadro.

| hacer | tener | poner | venir | salir | ser | decir | ir | dar |

1 __Tengan__ preparados sus trabajos para la clase de Historia.

4 __Hagan__ las tareas todos los días.

7 __Pongan__ su nombre y apellidos en la hoja de examen.

2 __Vayan__, por favor, a la sala de computación.

5 __Digan__ a sus compañeros qué texto hay que leer.

8 __Salgan__ de clase despacio y sin correr.

3 Mañana __sean__ puntuales. El autobús no espera.

6 __Vengan__ aquí a ver el trabajo de Miguel.

9 __Den__ a su compañero un consejo para vivir más feliz.

Nombre: _____   **Fecha:** _____

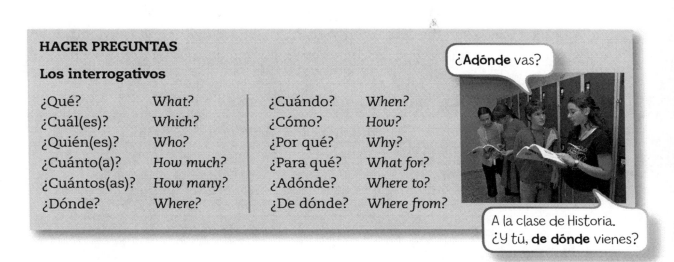

HACER PREGUNTAS

Los interrogativos

¿Qué?	*What?*	¿Cuándo?	*When?*
¿Cuál(es)?	*Which?*	¿Cómo?	*How?*
¿Quién(es)?	*Who?*	¿Por qué?	*Why?*
¿Cuánto(a)?	*How much?*	¿Para qué?	*What for?*
¿Cuántos(as)?	*How many?*	¿Adónde?	*Where to?*
¿Dónde?	*Where?*	¿De dónde?	*Where from?*

¿**Adónde** vas?

A la clase de Historia.
¿Y tú, **de dónde** vienes?

20 **Una pregunta para cada cosa**

▶ **Relaciona** cada dato con el interrogativo correspondiente.

Ⓐ

1. El nombre
2. La edad
3. El domicilio
4. El número de identidad
5. La fecha de nacimiento
6. El origen
7. La razón de la solicitud (*application*)

Ⓑ

a. ¿Cuál?
b. ¿Dónde?
c. ¿Por qué?
d. ¿De dónde?
e. ¿Cuántos?
f. ¿Cómo?
g. ¿Cuándo?

21 **Cuestión de concordancia**

▶ **Completa** las preguntas con *cuánto, cuánta, cuántos* y *cuántas*. Después, contéstalas.

1. ¿ **Cuántos** _____ hermanos tienes?

   Tengo dos hermanos. _____

2. ¿ **Cuánto** _____ te costó la ropa que llevas puesta?

   Me costó unos cien dólares. _____

3. ¿ **Cuántas** _____ clases tienes este semestre?

   Este semestre tengo siete clases. _____

4. ¿ **Cuánta** _____ memoria tiene tu computadora?

   Tiene 4GB de RAM. _____

22 **¿Cuál o cuáles?**

▶ **Subraya** la opción correcta.

1. ¿<u>Cuál</u> / Cuáles es tu número de teléfono?

2. ¿Cuál / <u>Cuáles</u> son tus actores favoritos?

3. ¿<u>Cuál</u> / Cuáles es la última película de Bardem?

4. ¿Cuál / <u>Cuáles</u> son tus libros?

5. ¿<u>Cuál</u> / Cuáles es tu mochila?

6. ¿Cuál / <u>Cuáles</u> son tus padres?

23 **Perdón, ¿cuál fue la pregunta?**

▶ **Escribe** las preguntas que le hizo el periodista a este músico. Usa los interrogativos del recuadro.

| ¿Cuáles? | ¿Dónde? | ¿Quién? | ¿Cuándo? | ¿Cuál? | ¿Cómo? | ¿Cuántos? |

Pregunta: _¿Cómo estás?_
Respuesta: Estoy muy bien, gracias.

P: _¿Cuándo llegaste?_
R: Llegué anoche, a la una de la madrugada.

P: _¿Cuántos discos tienes?_
R: En total, tengo cinco discos publicados.

P: _¿Cuál es tu objetivo inmediato?_
R: Dar a conocer mi último disco. Ese es mi objetivo inmediato.

P: _¿Cuáles son los temas de tu último disco?_
R: Los temas del último disco son varios. Le canto al amor, por supuesto, pero también a la alegría y a la vida.

P: _¿Quién es tu inspiración?_
R: Mi novia. Ella es mi inspiración.

P: _¿Dónde es el concierto?_
R: El concierto es en el estadio de fútbol. Espero verlos a todos allí.

24 **Entrevista a un personaje**

▶ **Piensa** en un personaje histórico. Imagina que lo puedes entrevistar y escribe cinco preguntas.

1. _¿Cómo fue su niñez y adolescencia?_

2. _¿Cuándo supo lo que quería hacer?_

3. _¿Qué lo motiva en su trabajo?_

4. _¿Quién es su fuente de inspiración?_

5. _¿Cuáles son sus objetivos para el futuro?_

Nombre: _____   **Fecha:** _____

¿Puedes completar cada oración en menos de 10 segundos? Suma 2 puntos por cada oración correcta y resta 1 punto por los errores de concordancia.

Crash course 1

1 ¿Qué (querer, ustedes) __quieren__ hacer este fin de semana?

2 La primera persona del presente de *poner* es yo __pongo__ .

3 Mario está __leyendo__ una novela.

Crash course 2 y 3

4 ¿Qué (hacer, tú) __hiciste__ las pasadas vacaciones?

5 Mi hija (sacar) __sacó__ ayer muy buenas notas.

6 Ayer (tener, yo) __tuve__ un examen de Español.

Crash course 4

7 (Poner, ustedes) __Pongan__ aquí las maletas, por favor.

8 Estudia y (hacer, tú) __haz__ las tareas bien.

9 Por favor, (freír, usted) __fría__ las papas en la sartén.

Crash course 5

10 ¿ __Cómo__ te llamas?

11 ¿ __De dónde__ eres?

12 ¿ __Por qué__ estudias español?

Cultura

Contesta las siguientes preguntas.

Preguntas

1. Escribe el nombre de dos artistas (escritores, pintores, escultores, músicos, actores...) españoles o hispanoamericanos. ¿Conoces el nombre de alguna de sus obras?

   Diego Rivera fue un pintor mexicano, famoso por sus murales. Shakira es una cantante colombiana.

2. Escribe el nombre de dos prendas tradicionales andinas. ¿Sabes con qué material se suelen hacer estas prendas?

   El poncho y el chullo. Son de lana de llama o de alpaca.

3. Nombra al menos dos celebraciones o fiestas importantes en el mundo hispano. ¿Sabes dónde se celebran?

   En Cuzco (Perú) se celebra el Inti Raymi. En Pamplona (España) se celebran los sanfermines.

4. Nombra al menos dos platos típicos de la cocina hispana. ¿Puedes escribir algunos de los ingredientes que llevan?

   El guacamole, que se hace con aguacate.
   El gazpacho, que lleva tomates y hortalizas.

5. Escribe qué lugares (museos, parques nacionales, ciudades...) quieres visitar en España o Hispanoamérica, y di por qué.

   Quiero ver el salto Ángel porque es el más alto. Quiero ir a Bogotá para ver el Museo del Oro.

6. Escribe el nombre de dos bailes típicos del mundo hispano.

   La salsa, de la región del Caribe, y el tango, de Argentina y Uruguay.

Nombre: .... **Fecha:** ....

1 Recuerda

▶ **Busca** en esta sopa de letras los contrarios de estas palabras.

gordo

trabajador

alto

generoso

nervioso

```
T R A N Q U I L O R T V D T
V G D C O I B U R G A Z I I
G R R T U O S V A P C M V U
C Ñ B A J O N T S A A T E M
O A T R C Ñ N R C S Ñ U R O
N D A T S I M I T P O B T X
T H I M E N O A B L D L I B
E M O D E R A S V L R E D K
N B A L C M C H O S P A O I
T M P E R E Z O S O V T E E
O D E L G A D O C H X L A N
```

moreno

triste

serio

pesimista

aburrido

2 En familia

▶ **Completa** la descripción de cada miembro de esta familia.

ANSWERS WILL VARY

Juan es el padre.
Es __delgado__
y __alto__.
Está muy _____
__nervioso__ porque
no le gustan nada
las fotos.

Ana es la __madre__.
Es rubia y __baja__.
Es muy _____
__graciosa__.
Le encanta hacer
bromas a todo
el mundo.

Lucía es la __hija__.
Es alta, __delgada__
y __rubia__.
Está __aburrida__.

Esta es la __abuela__ María.
Es una señora bajita y __gordita__.
Es una persona muy generosa y optimista.
Está muy __contenta__.

Lucas es el __hijo__.
Es muy __trabajador__
_____. Siempre
está estudiando.

3 **Autoanálisis**

▶ **Completa** este cuestionario sobre ti.

1. ¿Te gusta tu nombre? **Sí, me gusta mucho.**

2. ¿Cuántos apellidos tienes? **Tengo solo un apellido: Larsen.**

3. ¿Cuál es tu fecha de nacimiento? **Nací el 23 de julio de 1999.**

4. ¿Eres alto(a) o bajo(a)? **Soy alto.**

5. ¿Eres gordo(a) o delgado(a)? **Soy delgado.**

6. ¿Eres rubio(a) o moreno(a)? **Soy rubio.**

7. ¿Cuál de estos rasgos te describe mejor?

☐ trabajador(a)   ☑ generoso(a)   ☑ gracioso(a)

☑ perezoso(a)   ☐ tacaño(a)   ☐ serio(a)

EXPRESIONES ÚTILES

4 **Rutina diaria**

▶ **Escribe.** ¿Qué hace Marta por la mañana? Usa las palabras del recuadro.

1. lavarse los dientes	**Primero se lava los dientes.**	*primero*
2. ducharse	**Luego se ducha.**	*luego*
3. peinarse	**Después se peina.**	*después*
4. elegir la ropa	**Finalmente elige la ropa.**	*finalmente*

5 **Suerte en el examen**

▶ **Completa** este texto con las palabras y expresiones de las cajas.

> **El día del examen**
>
> Buenas tardes. Están todos aquí para hacer el examen de Español,
> _¿verdad?_ Antes de nada, _tomen nota_ ,
> por favor, de este número y escríbanlo en la parte superior
> de sus hojas de examen. Un consejo: antes de empezar,
> _deben_ leer las instrucciones atentamente
> y preguntar cualquier duda que tengan. _Esperamos_
> que vaya todo bien y les _deseamos_ mucha suerte.

| deben |
| deseamos |
| ¿verdad? |
| Esperamos |
| tomen nota |

Nombre: ....   **Fecha:** ....

CARACTERÍSTICAS FÍSICAS

la barba	*beard*
el bigote	*mustache*
la cicatriz	*scar*
el lunar	*mole*
las pecas	*freckles*

Tener...

ojos almendrados	*almond-shaped eyes*
pelo lacio	*straight hair*
pelo rizado	*curly hair*
pelo castaño	*chestnut/brown hair*

Ser...

calvo	*bald*
apuesto	*handsome*

RASGOS DE PERSONALIDAD

amable	*kind, nice*
amistoso(a)	*friendly*
bondadoso(a)	*kind*
cariñoso(a)	*warm, affectionate*
chismoso(a)	*gossipy*
comprensivo(a)	*understanding*
cortés	*kind, nice*
egoísta	*selfish*
fiel	*faithful*
reservado(a), tímido(a)	*shy*
risueño(a)	*cheerful*
seguro(a) de sí mismo(a)	*self-assured*
travieso(a)	*mischievous*

Mi personaje de cómic favorito es **risueño** y muy **travieso**.

6 Retrato robot

▶ **Lee** el diálogo y marca los errores que hay en el dibujo.

—Dice que vio a un hombre volando.

—Sí, sí, voló por encima de mi coche.

—¿Y cómo era?

—Era un hombre alto y muy fuerte. Tenía el pelo liso y castaño. Era muy apuesto. Tenía una cicatriz en la ceja y un lunar al lado del labio. Era muy risueño y fue muy amable conmigo. ¡Ah! Llevaba una capa.

7 Adjetivos

▶ **Relaciona** estos adjetivos con las terminaciones correspondientes.

1. amabl-
2. travies-
3. egoíst-
4. fiel-

-o/a
-e
-a
—

5. chismos-
6. cortés-
7. cariños-
8. segur-

Crucigrama

▶ **Completa** el crucigrama.

	1		2			3				4			
	A		T			R							
5 C	O	M	P	R	E	N	S	I	V	O			
	A		A			S				T			
	B		V			U				T			
6 F	I	E	L			7 E	G	O	Í	S	T	A	
	E		E			Ñ				M			
	S		S			A				I			
			O							D			
					8 C	H	I	S	M	O	S	O	

VERTICAL

1. Los españoles son muy ... con los turistas.

2. En la escuela lo castigan todos los días porque es muy ... .

3. Mi profesora está siempre con una sonrisa en los labios. Es muy ... .

4. De pequeño era muy ... y no hablaba con nadie en la escuela.

HORIZONTAL

5. Te comprende cuando le hablas. Es tan ... .

6. María es ... , leal y muy buena amiga mía.

7. Jorge es un ... , solo piensa en sí mismo.

8. ¡Qué ... es Pedro! Siempre está hablando de los demás.

9 **¿Cómo son?**

▶ **Escribe** una descripción de estos personajes. Compara sus rasgos físicos y de personalidad.

Susanita es rubia y Mafalda es morena.

Mafalda es tan alta como Susanita.

Mafalda es más pesimista que Susanita, pero

Susanita es menos generosa que Mafalda.

Nombre: _____ **Fecha:** _____

SER Y ESTAR

- *The verb **ser** is used to identify people, places, and things, and to describe physical characteristics and personality traits.*

- *The verb **estar** is used to express feelings and conditions.*

Normalmente **soy** muy risueña, pero hoy **estoy** cansada y triste.

Otros usos de *ser*

origin and nationality	**Soy** de Argentina.
profession	María **es** cantante.
membership	Mi madre **es** republicana.
location of events	La fiesta **es** en mi casa.
date and time	Hoy **es** 28 de mayo.
possession	Este libro **es** tuyo.
material	Esta mesa **es** de madera.
price	**Son** 20 dólares.

Otros usos de *estar*

location of people and things	Tu mochila **está** en la mesa.
states	La ventana **está** abierta.
ongoing actions (**estar** + present participle)	**Estoy viendo** la televisión.
followed by **bien, mal**	Esta película **está** muy bien.
idiomatic expressions with **de**	estar de acuerdo, estar de moda, estar de viaje

10 Más sobre Mafalda

▶ **Relaciona** cada oración con el uso correspondiente de *ser* o *estar*.

(A)

1. La mamá de Mafalda es ama de casa y su papá es agente de seguros.
2. Felipe está locamente enamorado de una vecina suya.
3. La casa de Mafalda está en la calle Chile, 371, en el barrio de San Telmo.
4. Susanita es la mejor amiga de Mafalda.
5. Susanita se lleva mal con Manolito. Siempre están discutiendo.
6. Los padres de Manolito son españoles.

(B)

a. to express feelings

b. origin and nationality

c. identify people

d. profession

e. ongoing actions

f. location of people and things

11 Dibujante de cómics

▶ **Completa** con *ser* o *estar* este texto sobre un famoso dibujante de cómics y su personaje.

¿Conoces a Jim Davis?

_Es_ un dibujante de cómics estadounidense.

_Es_ de Indiana y _es_ el creador de un gato muy famoso que siempre _está_ de moda.

Su personaje de cómic _es_ naranja con rayas negras y _es_ un poco gordo. _Es_ perezoso, pesimista y egoísta, y casi siempre _está_ aburrido. Cuando no _está_ durmiendo, _está_ comiendo o viendo la televisión. Su comida favorita _es_ la lasaña.

Más de 220 millones de personas _son_ fans de su personaje y su tira cómica se publica en más de 2.500 periódicos mundiales.

¿Sabes quién _es_ el personaje del que _estoy_ hablando?

12 Entrevista a Quino

▶ Hoy algunos estudiantes van a chatear con el dibujante argentino Quino. **Completa** las preguntas que han preparado con el verbo que falta.

1. ¿De dónde _es_?
2. ¿Cuál _es_ su personaje favorito?
3. ¿Cuándo _es_ su cumpleaños?
4. ¿En qué ciudad _está_ su casa?
5. ¿_Es_ miembro de alguna asociación artística?
6. ¿Cuándo _es_ su próxima exposición?

13 Tu entrevista

▶ **Escribe** tres preguntas más para Quino. No olvides usar los verbos *ser* y *estar*.

1. _¿Es usted una persona optimista o pesimista?_
2. _¿Cuál es su pasatiempo preferido?_
3. _¿Está usted de acuerdo con las opiniones de Mafalda?_

Nombre: _____   **Fecha:** _____

LAS COMPARACIONES Y EL SUPERLATIVO

Comparaciones de igualdad

verb + **igual que**
igual de + adjective / adverb + **que**
verb + **tanto como**
tanto(a)(os)(as) + noun + **como**
tan + adjective / adverb + **como**

Comparaciones de superioridad e inferioridad

verb + **más que**
más + adjective / adverb / noun + **que**
verb + **menos que**
menos + adjective / adverb / noun + **que**

Adjetivos comparativos

bueno → mejor   grande → mayor   bien → mejor
malo → peor   pequeño → menor   mal → peor

El superlativo

adjective + **ísimo(a)(os)(as)**
el / la / los / las + noun + **más / menos** + adjective + **de / que**

Yo soy **igual de crítica que** Mafalda.

---

14 ¿Qué tienen en común?

ANSWERS WILL VARY

▶ **Completa** estas oraciones con las construcciones para expresar igualdad.

1. Él juega __tanto como__ ella.

2. Ella es __igual de__ fuerte __que__ él.

3. A ella le gusta el deporte __tanto como__ a él.

4. Ella marca __tantos__ puntos __como__ él.

5. Él es __igual de__ alto __que__ ella.

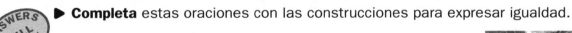

15 ¿Cómo es Juan?

▶ **Transforma** estas oraciones como el modelo.

1. Juan es el más simpático de su clase. → _Es simpatiquísimo._

2. Juan es muy amable. → Es __amabilísimo__.

3. Juan es el más tranquilo de sus hermanos. → Es __tranquilísimo__.

4. Juan es muy bondadoso. → Es __bondadosísimo__.

5. Juan es muy cariñoso. → Es __cariñosísimo__.

16 **¿En qué se diferencian?**

▶ **Compara** y decide si las oraciones son ciertas (C) o falsas (F).

Hola, soy Miguel y tengo 15 años. Tengo dos hermanos. Hablo inglés y español. Voy a clases de piano tres veces por semana. Estudio todos los días de 4 a 6 de la tarde.

Me gusta llevar una vida sana. Hago mucho deporte, tres veces por semana juego al baloncesto, y como fruta y verdura todos los días.

Hola, yo soy Sara y tengo 17 años. Tengo tres hermanas. Hablo inglés, francés y español. Yo también voy a clases de piano, pero solo dos veces por semana. Estudio todos los días de 5 a 8 de la tarde.

Yo soy un poco perezosa. Voy a nadar solo una vez por semana. También me gusta comer sano, aunque no como verdura todos los días.

1. Sara es mayor que Miguel.   Ⓒ   F
2. Miguel tiene menos hermanos que Sara.   Ⓒ   F
3. Miguel habla más idiomas que Sara.   C   Ⓕ
4. Miguel tiene menos clases de piano que Sara.   C   Ⓕ
5. Sara dedica menos horas a estudiar que Miguel.   C   Ⓕ

▶ **Escribe** otras tres oraciones para comparar a Miguel y a Sara.

1. __Miguel hace más deporte que Sara.__

2. __Sara come menos verdura que Miguel.__

3. __Miguel es menos perezoso que Sara.__

17 **Tú y tu mejor amigo**

▶ **Escribe** oraciones para compararte con tu mejor amigo(a).

1. alto(a): __José es más alto que yo.__

2. chismoso(a): __Yo soy más chismosa que José.__

3. cariñoso(a): __Yo soy menos cariñosa que José.__

4. pecas: __José es menos pecoso que yo.__

5. cicatrices: __José tiene tantas cicatrices como yo.__

6. estudiar: __Yo estudio menos que José.__

7. dormir: __José duerme tanto como yo.__

Nombre: _____   Fecha: _____

18 Mi mejor amigo

▶ Daniel y Andrea están hablando de Rafael, un amigo suyo. **Lee** el diálogo y rodea los adjetivos que describen a Rafael.

> **Daniel:** Rafael es mi mejor amigo. Lo que más me gusta de él es que es un chico muy bueno y muy generoso.
>
> **Andrea:** Sí, es verdad. Yo creo que por eso tiene muchos amigos. A mí lo que más me gusta de su personalidad es que es muy leal y muy buen amigo de sus amigos.
>
> **Daniel:** Sí, sí, además siempre puedes contarle todo porque te entiende muy bien.
>
> **Andrea:** Y es tan guapo y tiene siempre esa sonrisa tan bonita… Aunque no le gusta mucho hablar con las chicas.

apuesto   egoísta   tímido   risueño   comprensivo   bondadoso   chismoso   amistoso   fiel   travieso   cariñoso

19 Tú y tus compañeros de clase

▶ **Completa** cada oración con el nombre de una persona de tu clase.

1. __Jay_____ es el/la mejor estudiante de la clase.

2. __Laura_____ es timidísimo(a).

3. __Kim_____ es el/la más optimista de la clase.

4. __Liang_____ es el/la más bondadoso(a) de la clase.

5. __Aisha_____ es cariñosísimo(a).

6. __Omar_____ es el/la más risueño(a) de la clase.

20 **Tú y tus hermanos**

▶ **Escribe** el rasgo que describe mejor tu personalidad y, si tienes hermanos, el rasgo que describe mejor la personalidad de tu(s) hermano(s).

Yo soy __organizada__
_____.

Mi hermano(a) es ____
__fiel_____.

Mi hermano(a) es ____
__amistoso_____.

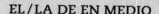

▶ **Lee** este texto. ¿Estás de acuerdo con las afirmaciones que se hacen en él? Explica tu respuesta.

Los hijos, según su lugar en la familia

Según algunos psiquiatras, tu orden de nacimiento determina tu personalidad. ¿Quieres saber cómo eres?

HIJO(A) ÚNICO(A)

Lo positivo: Muy organizado, responsable. Fascinado por los hechos y las ideas.

Lo negativo: Egoísta. No acepta bien la crítica. Puede parecer poco comprensivo.

PRIMOGÉNITO(A)

Lo positivo: Jefe natural. Puede parecer agresivo. Organizado. Inteligente.

Lo negativo: Poco sensible a los demás. Perfeccionista.

EL/LA DE EN MEDIO

Lo positivo: Tranquilo. Amistoso. Comprensivo.

Lo negativo: Menos ambicioso que los primogénitos. Deseoso de ser aceptado.

EL/LA ÚLTIMO(A)

Lo positivo: Muy amistoso. Cariñoso. Le gusta estar con los demás. Creativo.

Lo negativo: Egoísta. Se aburre fácilmente.

No estoy de acuerdo con el texto porque yo soy la primogénita y no soy agresiva; soy amable.

▶ **Escribe** oraciones comparándote con tus hermanos(as).

Mi hermana es menos comprensiva que yo, pero es más cariñosa que mi hermano.

Español Santillana. Practice Workbook. Unidad 1

Nombre: _____   **Fecha:** _____

RELACIONES FAMILIARES

la madrastra	*stepmother*	la pareja	*partner, couple*
el padrastro	*stepfather*	el/la novio(a)	*boyfriend/girlfriend*
el/la hermanastro(a)	*step-brother/ step-sister*	el/la esposo(a)	*husband/wife*
		la familia política	*family-in-law*
el/la hijo(a) adoptivo(a)	*adopted son/ daughter*	el/la suegro(a)	*father-/mother-in-law*
		el/la cuñado(a)	*brother-/sister-in-law*
el/la ahijado(a)	*godson/ goddaughter*	el yerno	*son-in-law*
		la nuera	*daughter-in-law*
materno(a)	*maternal*		
paterno(a)	*paternal*		

Estar...

casado(a)	*married*
divorciado(a)	*divorced*
prometido(a)	*engaged*
separado(a)	*separated*
soltero(a)	*single*
viudo(a)	*widower/widow*
casarse	*to marry*

Este es **mi prometido** y estos son **mis suegros**.

21 ¿Quién es?

▶ **Relaciona** cada adivinanza con su respuesta correspondiente.

1. La persona que más quiero en este mundo es la suegra de la esposa de mi hermano.
2. Se parece a mi madre, pero es más mayor. Tiene más hijos que mis tíos son.
3. Si el hijo de María es el padre de mi hijo. ¿Qué parentesco tengo yo con María?

a. Mi nuera

b. Mi madre

c. Mi abuela

22 Relaciones familiares

▶ **Completa** estas oraciones con la palabra que falta.

1. La hija de mi madrastra es mi __hermanastra__ .

2. El hermano de mi esposa es mi __cuñado__ .

3. Los padres de mi esposo son mis __suegros__ .

4. El segundo esposo de mi madre es mi __padrastro__ .

5. El esposo de mi hija es mi __yerno__ .

6. La esposa de mi hijo es mi __nuera__ .

23 **El intruso**

▶ **Tacha** el intruso en cada grupo.

| 1 | casada ~~madrastra~~ viuda divorciada soltera |

| 2 | suegro cuñado ~~hermano~~ yerno nuera |

| 3 | pareja novio esposo casarse ahijado |

24 **Un árbol genealógico**

▶ **Completa** el texto para describir cómo es esta familia.

Alejandro y Marta Casas

Alicia

Beatriz y Pablo

Joaquín

Manuela y Eduardo

Carolina y Javier

Miguel y Ana

La familia Casas

Alejandro y Marta tienen tres hijos y una hija. Alicia y Joaquín están

_____solteros_____ y Pablo y Eduardo están _____casados_____ . Beatriz y Manuela

son las _____nueras_____ de Alejandro y Marta. Pablo se quedó _____viudo_____

y se volvió a casar hace poco con Beatriz. Beatriz estaba divorciada. Carolina

es hija de Beatriz y Javier es hijo de Pablo. Carolina y Javier son _____hermanastros_____

y quieren mucho a sus _____abuelos_____ , Alejandro y Marta.

Manuela y Eduardo no podían tener hijos y decidieron adoptarlos. Ana y Miguel

son sus hijos _____adoptivos_____ . Ana y Miguel se llevan muy bien con sus

_____primos_____ , Carolina y Javier.

Alicia va a casarse pronto. Ella y Andrés celebran su boda el mes que viene.

Sus _____cuñadas_____ , Beatriz y Manuela, están ayudando mucho a la pareja.

Nombre: ....   **Fecha:** ....

EL IMPERFECTO Y EL PASADO CONTINUO

El imperfecto: *actions that happened repeatedly in the past.*

De pequeño siempre **iba** de vacaciones con mis abuelos.

	VIAJAR	VOLVER	SALIR
yo	viajaba	volvía	salía
tú	viajabas	volvías	salías
usted, él, ella	viajaba	volvía	salía
nosotros(as)	viajábamos	volvíamos	salíamos
vosotros(as)	viajabais	volvíais	salíais
ustedes, ellos(as)	viajaban	volvían	salían

> **Estaba leyendo** cuando me caí de la cama.

	SER	IR	VER
yo	era	iba	veía
tú	eras	ibas	veías
usted, él, ella	era	iba	veía
nosotros(as)	éramos	íbamos	veíamos
vosotros(as)	erais	ibais	veíais
ustedes, ellos(as)	eran	iban	veían

El pasado continuo: *ongoing past actions.*

¿Qué **estabas viendo** en la televisión cuando te llamé?

25 Recuerdos del pasado

▶ **Completa** las oraciones con los verbos del recuadro. Usa el imperfecto.

ir	hacer	~~preparar~~
celebrar	ser	ver
comer	comprar	estar

2 Mis hermanos y yo siempre **hacíamos** el postre para la comida de Navidad. Preparábamos una tarta que **estaba** deliciosa.

1 El día de Nochebuena siempre **iba** con mi tía Noelia a patinar y luego **veíamos** una película en el cine. Para mí **era** el día más especial del año.

3 De pequeño mi madre, mi padrastro y yo siempre **celebrábamos** la Nochebuena en casa de mis abuelos maternos.

4 El día de Navidad, mis primos y yo siempre **comíamos** unas galletas de chocolate que **compraba** mi abuelo.

26 El álbum de fotos

▶ Sandra está enseñando las fotos de su boda. **Escribe** oraciones como la del modelo.

1

(entrar en la iglesia)

Aquí estaba entrando

en la iglesia del brazo

de mi padre.

3

(hacerse una foto)

Aquí estábamos

haciéndonos

una foto.

5

(tirar el ramo)

Aquí yo estaba

tirando el ramo.

2

(escuchar al cura)

En esta foto Raúl y yo

estábamos

escuchando al cura.

4

(comer torta)

En esta foto Raúl

y yo estábamos

comiendo torta.

6

(bailar el vals)

En esta foto

estábamos

bailando el vals.

27 Preguntas

▶ **Escribe** las preguntas que le faltan a este diálogo. Usa el imperfecto y el pasado continuo.

—¿Qué estabas haciendo anoche a las 10?

—¿Anoche a las 10? Estaba estudiando para un examen.

—¿Estabas con tu hermana y tus padres?

—No, mi hermana estaba en su habitación y mi madre y mi padre estaban viendo la televisión.

—¿Por qué no estabas en la fiesta?

—No estaba en la fiesta porque estaba estudiando.

Nombre: _____   **Fecha:** _____

EXPRESAR POSESIÓN

Los adjetivos y pronombres posesivos

- *Possessive adjectives show ownership. Some forms change depending on their position.*
- *Possessive pronouns take the place of a noun. The forms are the same as those of the possessive adjectives after the noun.*

| mi(s)/mío(a)(os)(as) |
| tu(s)/tuyo(a)(os)(as) |
| su(s)/suyo(a)(os)(as) |
| nuestro(a)(os)(as) |
| vuestro(a)(os)(as) |
| su(s)/suyo(a)(os)(as) |

La preposición *de*

| thing possessed + **de** + possessor |

Mi ahijada es la hija **de** Miguel.

Estos libros son **míos** y esos son **tuyos**.

---

28 La familia de Raquel

▶ **Completa** la conversación con el posesivo apropiado.

Raquel: Ese es ____mi____ hermanastro, Carlos.

Tú: Ah, Carlos es ___tu___ hermanastro. No lo sabía. ¿Y la chica que está a su lado es ___tu___ hermana?

Raquel: No. Carlos está casado y esa chica es ___su___ esposa, Carmen. ___Mi___ hermana está sentada con ___sus___ amigos.

Tú: ¿Y los señores que están detrás son ___tus___ padres, Raquel?

Raquel: No. No son ___mis___ padres. Son los padres de Carmen. Los ___míos___ están sentados ahí delante.

Tú: ¡Ah! Entonces esa es la familia política de Carlos.

Raquel: Sí, sí, esos señores son ___sus___ suegros y la chica del pelo largo es ___su___ cuñada.

29 Errores

▶ **Corrige** estas oraciones que ha escrito un estudiante de español.

1. Estos son dos primos mis, Juan y Jaime. → _Estos son dos primos míos..._

2. ¿Estos discos son de vuestros? → _¿Estos discos son vuestros?_

3. Esta es mía cuñada. → _Esta es mi cuñada._

4. ¡Qué blusa más bonita! ¿Es de ti, Belén? → _¿Es tuya, Belén?_

30 ¿De quién es?

▶ **Completa** estos diálogos con los posesivos adecuados.

1
—Alejandro, ¿estas ▬▬▬ son
  __mías__?
—No, no son __tuyas__. Creo que son
  de Ricardo.
—Ricardo, ¿son __tuyas__ estas ▬▬▬?
—Sí, gracias.

3
—Guille, Rosa, ¿son __suyos__
  estos ▬▬▬?
—No, no son __nuestros__.
—Pregunta a Javier, yo creo que
  son __suyos__.

2
—¿Puedo usar este ▬▬▬
  un momento?
—No es __mío__. Pedro,
  ¿es __tuyo__ este ▬▬▬?
  ¿Se lo prestas un momento a Irene?

4
—¡Qué bonita es esta ▬▬▬!
  ¿Es __tuya__, Michele?
—No, no es __mía__. Creo que es
  de Clara.
—Ah, sí, es verdad, es __suya__.

▶ **Relaciona** cada diálogo con la foto correspondiente.

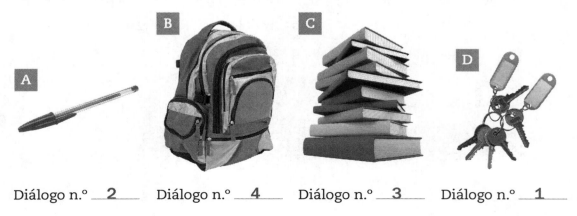

A

B

C

D

Diálogo n.º __2__   Diálogo n.º __4__   Diálogo n.º __3__   Diálogo n.º __1__

Nombre: ....   **Fecha:** ....

31 ¡Qué lío de familia!

▶ **Lee** estas informaciones sobre la familia de Pablo y construye su árbol genealógico.

> Nuestra madre se llama Mercedes y se quedó viuda hace diez años. Hace dos años volvió a casarse.

> Mi hermano Carlos está casado y tiene una hija adoptada. Su hija se llama María.

> Mi hermana Ana está soltera y no tiene hijos.

> Las hijas de Nuria se llaman Teresa, Julia y Clara.

> Mi hermanastra Nuria está divorciada y tiene tres hijas.

> Yo estoy casado. Mi esposa se llama Silvia.

> Mi cuñada se llama Adela y es muy simpática.

> Mi padrastro se llama Miguel y es de México.

> Nuestros hijos se llaman Daniel y Juan. Juan nació ayer.

La familia de Pablo

Mercedes y Miguel

Pablo y Silvia	Carlos y Adela	Nuria	Ana

Daniel	Juan	María	Teresa	Julia	Clara

32 **Presente y pasado**

▶ **Completa** este cuestionario y averigua. ¿Cómo eran tus padres, tus tíos o tus abuelos cuando tenían tu edad?

Cuando tenías mi edad...

1. ¿Qué estudiabas en la escuela?
2. ¿Cómo vestías?
3. ¿Qué música escuchabas?
4. ¿Qué hacías los fines de semana?
5. ¿Cómo era la relación con tus padres?
6. ¿Qué comías? _____
_____
7. ¿Cuáles eran tus pasatiempos? _____
_____
8. ¿Adónde ibas de vacaciones? _____
_____
9. ¿Cómo eran tus amigos/as? _____
_____
10. ¿Qué planes futuros tenías? _____
_____

▶ **Escribe** un texto contando qué diferencias hay entre tus familiares cuando tenían tu edad y tú.

Mi abuelo estudiaba Latín en la escuela, pero yo estudio Español. Los fines de semana mi abuela iba al autocinema. Yo voy al centro comercial con mis amigos. Mi abuelo escuchaba la música de Elvis Presley y yo escucho *rock*.
Los amigos de mi abuela eran muy divertidos, y los míos también lo son.

Nombre: _____ **Fecha:** _____

BIOGRAFÍAS

Etapas y acontecimientos de la vida

el embarazo	*pregnancy*
nacer	*to be born*
el nacimiento	*birth*
la infancia/niñez	*childhood*
la adolescencia	*adolescence*
la juventud	*youth*
la madurez	*adulthood*
la vejez	*old age*
la muerte	*death*
el/la niño(a)	*child, boy/girl*
el/la joven	*young person*
el/la adulto(a)	*adult*

Ritos y celebraciones

el aniversario	*anniversary*
el bautizo	*baptism*
la graduación	*graduation*
la jubilación	*retirement*
el matrimonio	*marriage*

RELIGIONES

el budismo	*Buddhism*
el cristianismo	*Christianity*
el hinduismo	*Hinduism*
el islamismo	*Islam*
el judaísmo	*Judaism*

> Hoy es nuestro **aniversario**. Llevamos 50 años casados.

33 La vida de Susana

▶ **Escribe** el nombre de la etapa que corresponde a cada dibujo.

1 el nacimiento

3 la adolescencia

5 la vejez

2 la infancia/niñez

4 la juventud

6 la muerte

34 Símbolos religiosos

▶ **Busca** los nombres de las cinco religiones. Después, escribe el nombre de cada una debajo de la foto correspondiente.

1

budismo

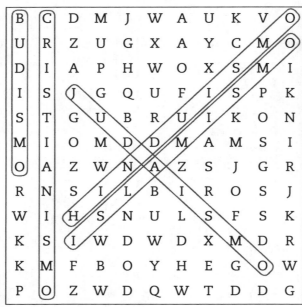

B	C	D	M	J	W	A	U	K	V	O
U	R	Z	U	G	X	A	Y	C	M	O
D	I	A	P	H	W	O	X	S	M	I
I	S	J	G	Q	U	F	I	S	P	K
S	T	G	U	B	R	U	I	K	O	N
M	I	O	M	D	D	M	A	M	S	I
O	A	Z	W	N	A	Z	S	J	G	R
R	N	S	I	L	B	I	R	O	S	J
W	I	H	S	N	U	L	S	F	S	K
K	S	I	W	D	W	D	X	M	D	R
K	M	F	B	O	Y	H	E	G	O	W
P	O	Z	W	D	Q	W	T	D	D	G

3

hinduismo

2

islamismo

5

cristianismo

4

judaísmo

35 Celebraciones

▶ **Lee** estas oraciones y relaciona cada una con la celebración correspondiente.

(A)

1. No sé qué regalar a mis abuelos por sus bodas de oro.

2. Lloró muchísimo cuando le cayó el agua sobre la cabeza.

3. ¿Y ahora qué vas a hacer: buscar trabajo o hacer un máster?

4. Mis padres nos van a regalar los anillos.

5. Ahora voy a poder viajar y disfrutar de mis nietos.

(B)

a. bautizo

b. aniversario

c. graduación

d. jubilación

e. matrimonio

Nombre: ....   **Fecha:** ....

EL PRETÉRITO Y EL IMPERFECTO

El pretérito y el imperfecto en la narración

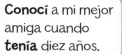

> **Conocí** a mi mejor amiga cuando **tenía** diez años.

- *Use the preterite tense to talk about past actions that are complete.*

    En 2005 **nació** mi hermana pequeña.

- *Use the imperfect tense to talk about past actions that lasted a certain time, without mentioning the end.*

    Cuando mi hermanita **era** un bebé, **dormía** mucho.

- *When telling a story in the past:*

    – *Use the preterite to talk about the actions or events that happened in the story.*

    – *Use the imperfect to describe characters and setting, and to explain the circumstances surrounding an event.*

    Cuando mi hermana **nació**, **llovía** mucho.

Verbos con distintos significados

Pretérito	Imperfecto
Nos conocimos ayer. *(We met yesterday.)*	Nos conocíamos. *(We knew each other.)*
No pude llamarla. *(I couldn't call her.)*	Podía llamarla. *(I was able to call her.)*
No quise ir. *(I refused to go.)*	No quería ir. *(I didn't want to go.)*
Supe su nombre. *(I found out her name.)*	No sabía su nombre. *(I didn't know her name.)*
Tuve la gripe. *(I got the flu.)*	Tenía la gripe. *(I had the flu.)*

36 Cambios de significado

▶ **Subraya** la forma verbal correcta.

1. *Conocía/<u>Conocí</u>* a mi esposa cuando *<u>estudiaba</u>/estudié* en la universidad.

2. La *<u>llamé</u>/llamaba* para la fiesta, pero *estuvo/<u>estaba</u>* en la cama con gripe.

3. No *supe/<u>sabía</u>* su teléfono y *<u>pregunté</u>/preguntaba* a sus amigas.

4. No *podía/<u>pudo</u>* hacer el examen porque *<u>tenía</u>/tuvo* fiebre.

5. Carlos no quería venir al cine con nosotras porque no *conoció/<u>conocía</u>* a todas mis amigas.

6. Berta *<u>conoció</u>/conocía* a su esposo en una boda.

5. Cuando Alejandro no me invitó, *<u>supe</u>/sabía* que no era mi amigo.

37 **¿Circunstancias o eventos?**

▶ **Rodea** las circunstancias y subraya los eventos.

> **La boda de Ana**
>
> Cuando llegamos a la iglesia, todos los invitados ya estaban dentro. Luego oímos las campanas y en ese momento entró la novia. Llevaba un vestido muy bonito e iba acompañada de su padre. El novio estaba contentísimo y los dos sonrieron mucho cuando se vieron. Cuando salimos de la iglesia, llovía mucho. Los novios corrieron hacia el coche, pero el novio pisó un charco y cayó al suelo. Todos lo miramos y él empezó a reírse.

▶ **Escribe** los verbos que has marcado en la columna correspondiente.

PRETÉRITO	IMPERFECTO
llegamos, oímos, entró, sonrieron, se vieron, salimos, corrieron, pisó, cayó, miramos, empezó	estaban, llevaba, iba, estaba, llovía

38 **Historia incompleta**

▶ **Completa** la narración con los verbos del recuadro. Usa el pretérito y el imperfecto.

ser	despertarse	estar (2)	oír	ver
tomar	salir	hacer	ir	volver	parar

> **Un ruido extraño**
>
> Eran las tres de la madrugada, mis padres no estaban en casa. Desperté con un fuerte dolor de cabeza. Fui a buscar una aspirina, me la tomé y, algo adormilada, volví a la cama. Cuando estaba a punto de quedarme dormida, oí un ruido aterrador. Rápidamente salí a la sala, con miedo.
>
> La sala estaba oscura, ese ruido extraño no paraba, y al asomarme a la ventana vi algo que me hizo temblar...

Nombre: _____   **Fecha:** _____

EXPRESIONES TEMPORALES PARA LA NARRACIÓN
Marcadores de pasado

Acción terminada (pretérito)	Acción no terminada o acción habitual (imperfecto)	
anoche ayer anteayer el martes/mes/ año pasado el 14 de abril de 2010	antes de niño/pequeño/ joven... cuando era niño/ pequeño/joven...	a menudo frecuentemente generalmente muchas veces normalmente siempre todos los días

> **De pequeña** todos los veranos iba a la playa.

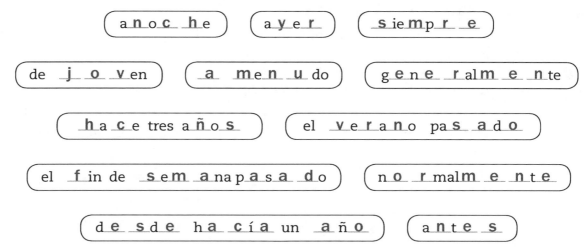

Otras expresiones de pasado

preterite tense + **hace** + time expression	Llamó **hace dos horas**.
hace + time expression + **que** + preterite tense	**Hace dos horas** que llamó.
imperfect tense + **desde hacía** + time expression	Lo conocía **desde hacía un año**.
hacía + time expression + **que** + imperfect tense	**Hacía un mes** que no lo veía.

39   Para hablar del pasado

▶ **Completa** estas expresiones de tiempo con las letras que faltan.

(a n o c h e)   (a y e r)   (s i e m p r e)

(de j o v en)   (a m en u do)   (g e n e r a l m e n te)

(h a c e tres a ñ o s)   (el v e r a n o pa s a d o)

(el f i n de s e m a n a p a s a d o)   (n o r m a l m e n t e)

(d e s d e h a c í a un a ñ o)   (a n t e s)

40 **¿Pretérito o imperfecto?**

▶ **Completa** las oraciones poniendo el verbo en el tiempo correspondiente.

1. Anoche (ver, ellos) __vieron__ una película de zombis.

2. Cuando era pequeño, (ir) __iba__ en bici a la escuela.

3. Anoche (nacer) __nació__ mi sobrino.

4. El año pasado (empezar, ella) __empezó__ a estudiar español.

5. Antes los niños (jugar) __jugaban__ más en el parque que ahora.

6. De joven (salir, yo) __salía__ todos los sábados con mis amigos.

7. Anteayer (ser) __fue__ el bautizo de mi ahijada.

8. Yo (casarse) __me casé__ el 10 de octubre de 2005.

41 **¿Cuándo?**

▶ **Marca** la opción correcta.

1. __Hace dos años__ se jubiló mi abuelo.
   a. Desde hace dos años   b. Hacía dos años   ⓒHace dos años

2. Mi hermana tiene novio __desde hace un mes__.
   a. hacía un mes   b. desde un mes   ⓒdesde hace un mes

3. __Hace diez años__ que fuimos a Argentina.
   a. Desde hace diez años   ⓑHace diez años   c. Hacía diez años

4. __Hacía__ un par de meses que no iba al cine.
   a. Hace   ⓑHacía   c. Desde

5. La graduación de mi hermana fue __hace__ dos años.
   ⓐhace   b. hacía   c. desde hace

42 **Los momentos más importantes**

▶ **Escribe** los cuatro momentos más importantes en la vida de Julio.

ANSWERS WILL VARY

1
11 de abril de 2012
Ya está aquí mi precioso hijo. Es el día más feliz de mi vida.

3
28 de mayo de 2007
Hoy me he unido a la mujer más preciosa del mundo.

2
24 de septiembre de 2010
Inauguración de mi floristería. Uno de mis sueños.

4
6 de junio de 2001
¡¡¡¡Bien!!!! Por fin llegó el día de la graduación.

Hoy es 13 de abril de 2012

1. Anteayer Julio __tuvo un hijo.__

2. __Abrió una floristería hace un año y medio.__

3. __Hace cinco años que se casó.__

4. __Hace casi once años que se graduó.__

Nombre: ....   **Fecha:** ....

43 Una leyenda costarricense

▶ **Lee** esta leyenda y subraya la forma correcta de los verbos.

Creación de los Sikuas (gente blanca)

Sibo *hacía/hizo* la tierra del cuerpo de Iriria. Iriria *era/fue* una niña gordísima que no *pudo/podía* caminar. Sibo *quería/quiso* crear seres vivos y para conseguirlo, necesitaba la ayuda de Naítmi, la madre de Iriria. Le *explicó/explicaba* su plan: «Quiero invitarte a una gran ceremonia. Debes venir con tu hija, Iriria. La curaré y podrá caminar». Al principio, Naítmi no *quería/quiso* ir, pero finalmente *aceptaba/aceptó* la invitación.

Durante la ceremonia, Iriria se *cayó/caía* y *moría/murió*. Su madre Naítmi y su abuela *lloraron/lloraban* muchísimo y *estaban/estuvieron* muy enojadas con Sibo. Lo llamaron mentiroso. «Nos engañaste (*you tricked us*)», dijeron. Sibo las consoló: «Iriria no está muerta. Está viva y caminará en las personas que van a nacer de ella».

La madre y la abuela *estuvieron/estaban* muy tristes. Pero Sibo no *era/fue* mentiroso. *Cumplía/Cumplió* su promesa (*kept his word*). *Formaba/Formó* personas blancas del cuerpo de Iriria y fueron caminando por toda la Tierra.

44 Una fecha especial

(ANSWERS WILL VARY)

▶ **Piensa** en una fecha especial para ti y escribe qué pasó ese día, cómo ibas vestido(a), con quién estabas…

El sábado pasado se casó mi hermano mayor. Yo fui su padrino *(best man)*. Mi hermano, mi padre y yo llevábamos un esmoquin muy elegante. Todos nuestros familiares y amigos asistieron a la ceremonia. Mi hermano estaba muy nervioso, pero se calmó cuando vio entrar a su novia. Después de la ceremonia, hubo un banquete y nos divertimos mucho.

45 **Mi primer...**

▶ **Escribe** oraciones como la del modelo.

Ir a una boda – 1998

Carla fue por primera vez a una boda
hace 16 años.

Hacer un viaje con amigos – 2003

Hace 11 años **que Carla hizo**
su primer viaje.

Ir a un concierto de música – 2000

Hace 14 años que Carla fue por
primera vez a un concierto.

Hablar con un español – 2005

Carla habló por primera vez con
un español hace 9 años.

▶ **Añade** a las frases anteriores las circunstancias.

1. Carla fue por primera vez a una boda hace __16 años. Era invierno, estaba__
   __todo nevado y hacía mucho frío__.

2. __Hace 14 años que Carla fue por primera vez a un concierto. Había__
   __mucho público y Carla estaba muy emocionada__.

3. __Hace 11 años que Carla hizo su primer viaje. El día estaba soleado__
   __y hacía mucho calor__.

4. __Carla habló por primera vez con un español hace 9 años. Llovía y__
   __entraron a una cafetería. La cafetería estaba casi vacía__.

Nombre: ....   **Fecha:** ....

46 **Currículum vítae**

▶ **Lee** el currículum de Andrea y completa las preguntas.

Información personal	
Nombre	Andrea Caleruega
Dirección	C/ Águilas, 233, Buenos Aires
Nacionalidad	Argentina
Fecha de nacimiento	7 de marzo de 1990

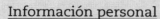

Experiencia laboral	
Fechas	Octubre 2011-Junio 2013
Empresa	UNICEF
Tipo de empresa	Organización no gubernamental (ONG)
Cargo	Periodista

Educación y formación	
Fechas	2007-2011
Universidad	Universidad de Buenos Aires
Título	Licenciada en periodismo

Idiomas	
Lengua materna	Español
Otros idiomas	Inglés (excelente), alemán (básico)

Capacidades y aptitudes sociales	Comprensiva, amable, discreta, fiel y amistosa. Cómoda en entornos multiculturales.

1. ¿En qué año __nació__? En 1990.

2. ¿Qué __hizo__ entre el 2007 y el 2011?

3. ¿Cuándo __comenzó__ su primer trabajo?

4. ¿Cuánto tiempo __trabajó__ en UNICEF?

▶ **Escribe** oraciones para compararte con Andrea respecto a estos temas.

| edad | | número de idiomas hablados | | rasgos de personalidad |

__Andrea es mayor que yo. Yo hablo tantos idiomas como Andrea.__

__Andrea es tan amistosa como yo, pero yo soy más tímida que ella.__

47 **El cuadro de tu familia**

▶ **Piensa** en una celebración familiar especial para ti y haz un dibujo de ese momento. Después, ponle un título.

El Año Nuevo

▶ **Escribe** un texto que describa tu dibujo.

Aquí estábamos celebrando el Año Nuevo. Hacía un poco de frío, pero no lo sentíamos porque estábamos muy emocionados. A las doce en punto comimos las doce uvas y nos felicitamos.

48 **Tú eres el/la mejor**

▶ **Completa** las oraciones con formas del superlativo para describir lo mejor de ti.

1. Yo soy el/la mejor _atleta_ de mi clase.

2. Soy el/la más _alto_ de mis hermanos(as).

3. Soy el/la más _gracioso_ de mis amigos(as).

4. Soy _el más amistoso de mis vecinos_ .

49 **Tu amigo ideal**

▶ **Marca** las cuatro cualidades que son más importantes para ti.

✓ amable	☐ amistoso(a)	✓ bondadoso(a)	☐ cariñoso(a)
☐ comprensivo(a)	☐ reservado(a)	☐ risueño(a)	☐ fiel
☐ trabajador(a)	✓ optimista	☐ serio(a)	✓ gracioso(a)

▶ **Escribe** un texto describiendo a tu amigo ideal.

Mi amigo ideal es un chico o chica amable y optimista. Es también alguien que siempre comparte sus cosas, es decir, bondadoso. ¡Y es muy gracioso!

Nombre: _____ Fecha: _____

50 **¿Qué sabes?**

▶ **Resuelve** las adivinanzas con información de la unidad.

1 Tengo los ojos almendrados y el pelo liso y castaño. Soy muy risueña y bondadosa. Mi madre es muy chismosa. ¿Sabes quién soy?

Yayita. _____

Diego Velázquez. _____

2 Mis padres son reyes, tengo nombre de flor y, cuando era pequeña, me hicieron un retrato muy famoso. ¿Sabes quién fue el pintor?

3 Soy un caballero antiguo y viví muchas aventuras con Sancho. Ah, y no estoy loco.

Don Quijote. _____

Mafalda. _____

4 Libertad, Susana, Felipe, Miguelito y Manolito son mis mejores amigos. ¿Quién soy?

5 Durante un tiempo fui pintor de la corte y pintaba retratos del rey Carlos IV y de su familia. ¿Sabes cómo me llamo?

Francisco de Goya. _____

La cultura africana. _____

6 La cultura de mis antepasados tuvo mucha influencia en los ritmos musicales latinos. ¿Sabes de qué cultura se trata?

7 ¿Sabes qué minorías indígenas viven en México y Guatemala? ¿Y en Perú, Ecuador y Bolivia?

Los mayas y los quechuas. _____

51 Cuadro de familia

▶ **Describe** este cuadro de Goya. Estas preguntas te pueden ayudar.

La gallina ciega (1789)

- ¿Quién pintó el cuadro? ¿Cuándo?
- ¿Qué representa el cuadro?
- ¿Quiénes aparecen en el cuadro?
- ¿Cómo iban vestidos ese día?
- ¿Dónde estaban?
- ¿Qué tiempo hacía ese día?
- ¿Qué estaban haciendo?
- ¿Cómo crees que se sentían?

Francisco de Goya pintó este cuadro en 1789. Vemos un grupo de chicos y chicas vestidos al estilo del siglo XVIII. Estaban en el campo y hacía buen tiempo. Estaban jugando a la gallina ciega y creo que estaban muy contentos.

52 La población latinoamericana

▶ **Decide** si estas oraciones son ciertas (C) o falsas (F).

1. Durante la colonización, los pueblos indígenas no quisieron mezclarse con los europeos que llegaban a sus tierras. C (F)

2. La cultura africana influyó mucho en los ritmos latinos. (C) F

3. Algunas minorías indígenas conservan su lengua y sus costumbres. (C) F

4. Entre 1850 y 1950 inmigraron a Latinoamérica muchos africanos. C (F)

5. El proceso de mestizaje se originó con la llegada de los europeos y se enriqueció con la llegada de los esclavos africanos. (C) F

▶ **Corrige** las oraciones falsas.

1. Los indígenas se mezclaron con los europeos que llegaban a sus tierras.

2. Entre 1850 y 1950 inmigraron a Latinoamérica muchos europeos, árabes, judíos, chinos, japoneses...

El juego del conocimiento

Nombre: ....   **Fecha:** ....

¿Puedes completar cada oración en menos de 10 segundos? Suma 2 puntos
por cada oración correcta y resta 1 punto por los errores de concordancia.

⚑ DESAFÍO 1

1 Marcos es **calvo** y tiene **bigote**.

2 Mafalda **es** muy crítica y **está** muy preocupada por el planeta.

3 Adrián es **igual** de alto **que** Mariano.

⚑ DESAFÍO 2

4 El esposo de mi hermana es mi **cuñado**.

5 Cuando llegué a casa, María **estaba** **viendo** la televisión.

6 Si esta pelota es nuestra, ¿es de él o es tuya y mía? **Es tuya y mía.**

⚑ DESAFÍO 3

7 Ramón celebró ayer su **jubilación**. Trabajó 40 años en esta empresa.

8 Marta **conoció** a su esposo cuando **estaba** en la universidad.

9 Llegué a la oficina **hace** dos horas.

⚑ PUNTOS SORPRESA

10 No veía a mi prima **desde hacía** tres años.

11 De pequeño **quería** ser futbolista.

12 Conocí a mi profesor de Español cuando **tenía** quince años.

¡Hola!

Cultura

Contesta estas preguntas. Luego escribe las letras numeradas y descubre el número de idiomas en los que puedes leer las tiras cómicas de Mafalda.

1 ¿Quién es Joaquín Salvador Lavado?

E L   D I B U J A N T E   Q U I N O
1   2

2 ¿En qué país aparecieron por primera vez las tiras cómicas?

E N   L O S   E S T A D O S U N I D O S
                    3

3 ¿Quiénes eran Diego Velázquez y Francisco de Goya?

U N O S   P I N T O R E S   D E
                    4

L A   C O R T E
        8

4 ¿A qué imperio pertenecían los hermanos Ayar y Popocateptl?

A L   I N C A
     6 7

5 Según los estereotipos familiares, ¿con quién suelen discutir las nueras y los yernos?

C O N   L A   S U E G R A
            5   9

Número de idiomas en los que se puede leer Mafalda:

E N   T R E I N T A
1 2   3 4 5 6 7 8 9

Unidad 2 Entre amigos

Nombre: _____   **Fecha:** _____

1 Presentaciones

▶ **Escribe** estas oraciones y expresiones en el diálogo correspondiente.

Encantada de conocerte	Me llamo Daniel	Encantada de conocerte

esta es mi esposa, Carmen	Mucho gusto, Eva

Hola, Eva. Mira, **esta es mi esposa, Carmen**.

¡Ah, hola! **Encantada de conocerte**, Carmen.

Buenos días. **Me llamo Daniel** y soy el nuevo profesor de Español.

Mucho gusto, Eva.

Hola, yo soy Belén. **Encantada de conocerte**.

2 Aficiones

▶ **Relaciona** las palabras de las dos columnas.

Ⓐ	Ⓑ
1. escuchar	a. un libro
2. leer	b. crucigramas
3. montar	c. música
4. hacer	d. un paseo
5. dar	e. a un concierto
6. ir	f. en bicicleta

EXPRESIONES ÚTILES

3 **Me gusta...**

▶ **Completa** con las palabras del recuadro.

cantar	los lunes	el cine	planchar	bailar

Hola, me llamo José. Me gusta mucho __**cantar**__
y __**bailar**__. De pequeño quería ser artista.
Me encantan __**los lunes**__. Me interesa mucho
__**el cine**__ y la literatura. Los domingos
no me apetece nunca __**planchar**__.

las personas	montar	los viernes	cocinar	la pintura

Hola, me llamo Aurora. Me encantan __**los viernes**__
por la tarde. Me gusta __**cocinar**__ (mis espaguetis
son famosos) y __**montar**__ en bicicleta.
Me interesa mucho __**la pintura**__.
No me gustan __**las personas**__ que hablan muy alto.

▶ **Escribe.** ¿Con cuál de las dos personas anteriores puedes llevarte bien? ¿Por qué?

__**Puedo llevarme bien con Aurora porque también me gusta cocinar**__

__**y me interesa la pintura.**__

4 **Reacciones**

▶ **Escribe** una reacción para estas oraciones.

1 ¡Gané un viaje a Costa Rica!

__**¡Qué suerte!**__

3 Andrés me regaló un ramo de rosas rojas.

__**¡Qué romántico!**__

2 Este es mi gatito, Milú.

__**¡Qué lindo!**__

4 Hoy me caí delante de Ana y sus amigas.

__**¡Qué mala suerte!**__

Nombre: ....   **Fecha:** ....

RELACIONES PERSONALES

el abrazo	*hug*	reconciliarse	*to make up*
la amistad	*friendship*	respetar	*to respect*
el amor	*love*	tener razón	*to be right*
el beso	*kiss*	discutir	*to argue*
la confianza	*trust*	echar la culpa	*to blame*
el dolor	*pain*	equivocarse	*to make a mistake*
la fidelidad	*faithfulness*	estar/ponerse celoso	*to be jealous*
abrazar	*to hug*	mentir	*to lie*
apoyar	*to support*	romper	*to break up*
apreciar	*to appreciate*		
confiar en	*to trust*		
disculparse	*to apologize*		
enamorarse de	*to fall in love with*		
estar enamorado(a)	*to be in love*		
pedir perdón	*to apologize*		
perdonar	*to forgive*		
querer	*to love*		

Lo siento mucho. Te **pido perdón**.

5   ¿Cómo eres?

▶ **Contesta** las preguntas de este test.

Tus relaciones personales

1. Si un(a) amigo(a) te miente, ¿le perdonas y vuelves a confiar en él/ella o rompes la relación?

   Lo perdono si se disculpa.

2. Si haces daño a un(a) amigo(a), ¿le pides perdón?

   Sí, le pido perdón.

3. Si discutes con un(a) amigo(a), ¿te reconcilias enseguida con él/ella?

   No, necesito tiempo para reconciliarme.

4. Cuando te equivocas, ¿echas la culpa a otra persona?

   No, no le echo la culpa a otra persona.

6 Crucigrama

▶ **Completa** el crucigrama.

VERTICAL

1. El ... de una madre es lo más bonito del mundo.
2. Tiene toda mi ... .
3. Los padres dan muchos ... a sus hijos.
4. Donde hay amor, hay ... .

HORIZONTAL

5. Para mí la ... es lo más importante en una relación.
6. Es su mejor amigo y no quiere perder su...
7. Dame un ... , María.

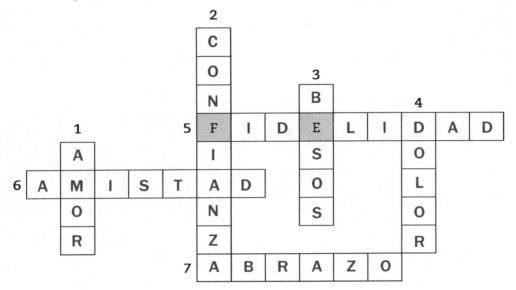

7 Tus normas

▶ **Completa** los consejos para no perder nunca la amistad de tus amigos.

Consejos

1. (respetar / apoyar) _____ Respeta _____ y _____ apoya _____ siempre
a tus amigos(as).

2. (equivocarse / pedir perdón) Si _____ te equivocas _____ , _____ pide perdón _____ .

3. (mentir / echar la culpa) Nunca _____ mientas _____ y no _____ eches _____
_____ la culpa _____ a los demás de tus errores.

4. (discutir / disculparse / reconciliarse) Si _____ discutes _____ ,
_____ disculpate _____ e intenta _____ reconciliarte _____ enseguida.

5. (tener / confiar en) Si no _____ tienes _____ razón en algo,
_____ confía en _____ lo que te dicen tus amigos.

Nombre: _____   **Fecha:** _____

LOS PRONOMBRES DE OBJETO DIRECTO E INDIRECTO

Pronombres de objeto directo

singular	plural
me	nos
te	os
lo, la	los, las

Pronombres de objeto indirecto

singular	plural
me	nos
te	os
le	les

Posición de los pronombres de objeto

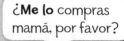

¿**Me lo** compras mamá, por favor?

- **Le** and **les** become **se** when placed in front of a direct object pronoun.

    Ana le dio un beso a su padre. ⟶ Ana **se lo** dio.

- *Object pronouns are placed before the conjugated verb, or attached to the infinitive, the present participle, or the affirmative command.*

    ¿Quieres dár**melo**?

    María está dándo**melo**.

    Dá**melo**.

8 ¡No seas repetitivo!

▶ **Sustituye** las palabras subrayadas por pronombres.

1. Tengo problemas y no sé cómo <u>resolver los problemas</u>. __resolverlos__
2. Pido ayuda, pero a veces no pueden <u>darme la ayuda</u>. __dármela__
3. Ana me pide dinero, pero no puedo <u>dar el dinero a Ana</u>. __dárselo__
4. Me gusta este libro. Voy a <u>comprar este libro para mí</u>. __comprármelo__

9 ¿Qué les dan?

ANSWERS WILL VARY

▶ **Escribe** oraciones que describan los dibujos. Usa pronombres de objeto indirecto.

__Él le da flores a su__
__novia.__

__El nieto les da__
__un abrazo.__

__Ella me da un libro.__
_____

10 ¿Qué van a regalar?

▶ **Relaciona** cada diálogo con la fotografía correspondiente.

B
1. —Les traigo un regalo. —¿A ver? ¡Qué bonitos! —¿Se los pondrán? —Sí, sí, seguro que se los ponen.

A
2. —¿Dónde las compraste? Son muy bonitas. —Las compré en el centro comercial. —¿Y cuándo se las vas a dar? —Se las voy a dar mañana. ¿Le gustarán?

C
3. —Tomen, les compré este regalo. —¿Es para nosotros? ¡Qué bonitas! Nos las vamos a poner ahora mismo.

A

B

C

▶ **Escribe.** ¿Qué regalos les corresponde a estas personas?

C

A

B

11 Las cosas claras

▶ **Completa** el diálogo con los pronombres que faltan.

SARA: Ayer discutí con Juan.

EVA: ¿Por qué?

SARA: Porque __lo__ vi dar un beso a otra chica. ¿Puedes creer__lo__?

EVA: Pero ¿__se__ __lo__ dio de verdad o te lo imaginaste?

SARA: No, no, no me lo imaginé. Y después estuvo conmigo y no __me__ dijo

nada. Espera que __me__ llama Juan. Hola, Juan. ¿Qué tal? Solo quiero que

__me__ digas la verdad. Dí__mela__, por favor. Yo nunca __te__ miento.

Nombre: ....   **Fecha:** ....

VERBOS PRONOMINALES REFLEXIVOS Y RECÍPROCOS

VERBO PRONOMINAL LAVARSE. PRESENTE

yo	me lavo	nosotros(as)	nos lavamos
tú	te lavas	vosotros(as)	os lavais
usted, él, ella	se lava	ustedes, ellos(as)	se lavan

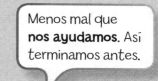

Menos mal que **nos ayudamos**. Así terminamos antes.

Verbos reflexivos

Reflexive verbs indicate that an action reflects back on the subject.

Yo **me levanto** a las ocho y **me ducho** a las ocho y media.

Verbos recíprocos

Some pronominal verbs may express reciprocal actions.

Nosotros **nos ayudamos**.

abrazarse	to *hug*	hablarse	to *talk*
apoyarse	to *support*	odiarse	to *hate*
ayudarse	to *help*	pelearse	to *fight*
conocerse	to *know*	perdonarse	to *forgive*
contarse	to *tell*	quererse	to *love*
entenderse	to *understand*	verse	to *see*

12 La amistad

▶ **Relaciona** cada oración con el dibujo correspondiente.

 A
 B
 C
 D

_A_ 1. Pedro y Pablo se pelean por todo.

_D_ 2. Pedro y Carlos se odian y no se hablan nunca.

_C_ 3. Pedro y Mario se quieren mucho y se cuentan todo.

_B_ 4. Pedro y Eduardo se entienden muy bien y se ayudan mucho en clase.

13 Parejas famosas

▶ **Escribe** oraciones para describir la relación entre estos personajes famosos.

quererse	pelearse	ayudarse	odiarse

1. Sherlock Holmes y el Doctor Watson __se ayudan__ .

2. Harry Potter y Voldemort __se odian__ .

3. Romeo y Julieta __se quieren__ .

4. Robin Hood y el sheriff de Nottingham __se pelean__ .

14 Amigas para siempre

▶ **Completa** el texto con los verbos del recuadro.

reconciliaron	cuentan	abrazando	pelean
conocieron	entendieron	quieren	apoyan	pelearon

Buenas amigas

Estas son Laura y Sonia. Son muy buenas amigas. Se _conocieron_ hace diez años. Se _entendieron_ muy bien desde el principio y por eso se _cuentan_ todos sus problemas y secretos. Cuando están tristes, se _apoyan_ la una en la otra. Nunca se _pelean_. Bueno, sí, una vez se _pelearon_ por un novio de Laura, pero enseguida se _reconciliaron_. Se _quieren_ mucho. En esta foto se están _abrazando_.

15 Rutina diaria

▶ **Numera** los verbos para reflejar tu rutina diaria. Luego, escribe oraciones.

ANSWERS WILL VARY

___ afeitarse/maquillarse
___ peinarse
_3_ vestirse

_1_ levantarse
_2_ ducharse
_4_ lavarse los dientes

Primero me levanto y después me ducho. Luego me visto y, por último, me lavo los dientes. No me maquillo ni me peino.

Nombre: ....   **Fecha:** ....

16 ¡Relación a prueba!

▶ **Contesta** las preguntas de este test. ¿Cómo te comportas en estas situaciones con tus amigos(as)?

¿Eres un buen amigo?

1. Si a un(a) amigo(a) le sucede algo muy bueno,

   me alegro mucho y lo felicito
   _____
   _____.

2. Cuando discuto con un(a) amigo(a) y yo

   no tengo razón, le pido perdon
   por mi equivocacion
   _____.

3. Cuando un(a) amigo(a) me cuenta un problema o un secreto, _____

   lo ayudo y no le cuento su secreto a nadie
   _____.

4. Cuando un(a) amigo(a) me miente y después me pide disculpas, _____

   lo perdono
   _____.

5. Cuando un(a) amigo(a) está triste y me necesita, pero tengo planes, _____

   lo llamo y hablo con él un rato
   _____.

---

17 Relaciones

▶ **Piensa** en tus amigos(as) y en tu familia y escribe oraciones como la del modelo.

Modelo: Mi hermano Jorge y yo nos peleamos siempre por el televisor.

1. (pelearse) **Mi hermana y yo nos peleamos por la ropa.**

2. (conocerse) **Mi mejor amiga y yo nos conocimos en la escuela.**

3. (ayudarse) **Mis compañeros de clase y yo nos ayudamos.**

4. (odiarse) **Mi perro y mi gato se odian.**

5. (ponerse celoso/a) **Mi novio se pone celoso si no lo llamo.**

18 Dedicatorias

▶ **Completa** estas dedicatorias. Usa los verbos y las palabras de las cajas.

| dolor | amor | amistad | te odié | amistad | nos reconciliamos |

| enamoré | abrazo | nos conocimos | nos quisimos | nos peleamos |

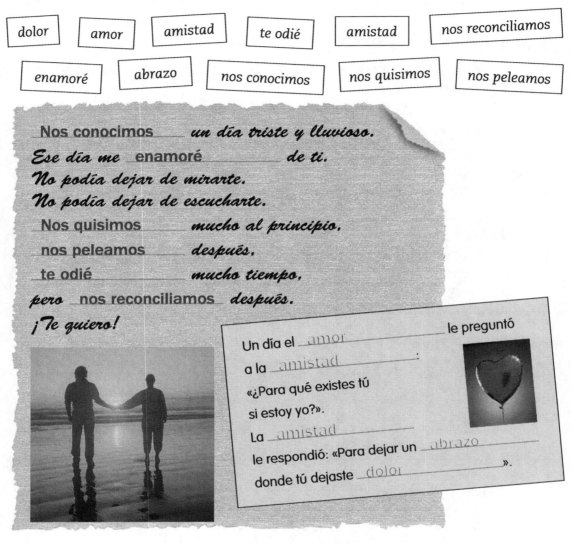

Nos conocimos un día triste y lluvioso.

Ese día me **enamoré** _de ti._

No podía dejar de mirarte.

No podía dejar de escucharte.

Nos quisimos mucho al principio,

nos peleamos después,

te odié mucho tiempo,

pero nos reconciliamos _después._

¡Te quiero!

Un día el ___amor___ le preguntó

a la ___amistad___:

«¿Para qué existes tú

si estoy yo?».

La ___amistad___

le respondió: «Para dejar un ___abrazo___

donde tú dejaste ___dolor___».

19 Tu tarjeta

▶ **Escribe** una tarjeta para regalar a alguien el día de san Valentín.

Te empecé a querer cuando te conocí.

En ese instante me enamoré de ti.

Y dos años después te quiero aún más.

¡Feliz día del amor y de la amistad!

Nombre: _____   **Fecha:** _____

PRESENTACIONES

Don/Doña	Mr./Mrs. (first name)
Señor(a)	Mr./Mrs. (last name)
Quiero presentarle a...	I want to introduce you to …
Permítanme que les presente a...	Allow me to introduce you to …

Relaciones sociales

el/la anfitrión(a)	host, hostess
el/la invitado(a)	guest
la fiesta	party
la reunión	meeting

Acciones

llegar tarde	to arrive late
llegar temprano	to arrive early
llegar a tiempo	to arrive on time

INVITAR, ACEPTAR Y RECHAZAR UNA INVITACIÓN

¿Te apetece…?	Do you feel like …?
¿Vamos a...?	Let's go to …
Te invito a...	I invite you to …
¿Estás ocupado(a)?	Are you busy?
¿Tienes planes para hoy?	Do you have plans for today?
De acuerdo./Vale.	I agree./OK.
Sí, ¿por qué no?	Yes, why not?
Con mucho gusto.	With pleasure.
Me parece un buen plan.	It seems like a good plan.
No, no me apetece.	No, I don't feel like it.
Gracias, pero no puedo.	Thank you, but I can't.
Lo siento, pero estoy ocupado(a).	I'm sorry, but I'm busy.
No sé... Tengo mucho que hacer.	I don't know … I have a lot to do.

¿**Te apetece** beber algo?

20 Presentaciones

▶ **Numera** las oraciones para ordenar esta conversación.

3 Mucho gusto.

2 Encantado de conocerlo, señor García.

4 Gracias por invitarme a su fiesta.

5 ¿Le apetece beber algo?

1 Buenas noches, señor López. Quiero presentarle al señor García, el anfitrión de la fiesta.

6 Sí, ¿por qué no?

21 Disculpas creativas

▶ **Completa** estas invitaciones con las palabras *invito*, *apetece*, *vamos* y *planes*.
Después, escribe una disculpa diferente para cada persona.

1. —¿Tienes __planes__ para esta tarde?

— Sí. Tengo mucho que hacer

y quedé con mi madre.

2. —Te __invito__ a comer.

— Gracias, pero no puedo. Voy a

comer con mis abuelos.

3. —¿Te __apetece__ ir a nadar?

— No, no me apetece. Es

que estoy muy cansada.

4. —¿ __Vamos__ al cine?

— Lo siento, pero estoy muy

ocupada. Tengo exámenes.

22 Un sábado apretado

▶ **Fíjate** en la agenda de Raúl y completa las oraciones con estas palabras.

tarde	temprano	tiempo

1. Si salgo de casa a las 8, llegaré muy __temprano__ al partido. Creo
que puedo salir a las 8:30.

2. Si termino la reunión a la 1:30, llegaré __tarde__ a la comida
de mis padres.

3. Si la comida acaba a las 4, llegaré

a __tiempo__ para ir de compras.

4. Si termino de comprar a las 6, llegaré

a __tiempo__ para ducharme.

Sábado 18

9 a. m. Partido de tenis con Santiago.

11 a. m. Reunión para preparar el viaje.

1:30 p. m. - 4 p. m. Comida con mi familia.

4:30 p. m. Ir de compras con Sandra.

7 p. m. Ducha y cambiar ropa.

8 p. m. Fiesta de cumpleaños.

23 Planes con Raúl

▶ **Mira** otra vez la agenda de Raúl y completa
este diálogo.

Amigo: ¡Hola, Raúl! ¿Qué tal? ¿Tienes planes
para el sábado por la mañana?

Raúl: Sí. Estoy muy ocupado.

Amigo: ¡Vaya! ¿Y te apetece ir a comer al nuevo restaurante italiano?

Raúl: Lo siento, pero voy a comer con mi familia.

Amigo: Pues te invito al cine por la tarde, sobre las ocho o así.

Raúl: Gracias, pero tengo una fiesta.

Amigo: Ya, mañana estás muy ocupado. Pues ¿vamos el domingo al cine?

Raúl: De acuerdo. Me parece un buen plan.

Nombre: _____ **Fecha:** _____

EXPRESAR DESEOS, GUSTOS Y PREFERENCIAS

Los verbos *gustar*, *encantar*, *interesar*, *apetecer* e *importar*

me	
te	
le	+ gustar/encantar/
nos	interesar/apetecer/
os	importar
les	

Me gusta celebrar fiestas en casa.

Nos encanta salir con nuestros amigos.

El subjuntivo para expresar deseos, gustos y preferencias

To express wishes, you can use:

ojalá (que) + subjunctive

querer
preferir   + infinitive
desear   + **que** + subjunctive
esperar

Quiero conocer a tu novio.
Quiero que conozcas a mi novio.

¿**Quieres que** te presente a mi primo?

---

24 Gustos

▶ **Relaciona** para formar oraciones completas.

(A)

1. A mi padre no
2. A mí
3. A mis amigos y a mí
4. A los amigos de mi hermana
5. A ti,

(B)

a. nos interesan las culturas prehispánicas.
b. te gustan mucho los juegos de mesa.
c. le gusta ver partidos de fútbol.
d. me encantan las fiestas.
e. les apetece ir al cine esta tarde.

---

25 Tus gustos

▶ **Escribe.** ¿Te gustan estas cosas?

los espaguetis _Me encantan._

salir con tus amigos **Me gusta.**

los lunes **No me gustan.**

el español **Me interesa.**

26 En familia

▶ **Completa** los diálogos. Pon los verbos entre paréntesis en infinitivo o en subjuntivo.

1. **ADELA:** Quiero (ir) __ir__ a la fiesta de Ana.

   PADRE: Ya, pero yo quiero que (estudiar, tú) __estudies__ para el examen.

2. **CHICOS:** Nos encanta (jugar) __jugar__ a los videojuegos.

   MADRE: Ya, pero yo prefiero que (hacer, ustedes) __hagan__ las tareas.

3. **ANDREA:** No me gusta (leer) __leer__ novelas de terror.

   ABUELA: A mí tampoco me gusta que (leer, tú) __leas__ esas novelas.

4. **ANA Y MARÍA:** Preferimos (salir) __salir__ más tarde.

   MADRE: Vale, pero quiero que (llegar, ustedes) __lleguen__ para la cena.

5. **ÁLVARO:** No quiero (comer) __comer__ más.

   PADRE: Pues yo quiero que (acabar, tú) __acabes__ el pescado.

27 Fiesta sorpresa

ANSWERS WILL VARY

▶ **Escribe** una oración completa según el modelo.

> Raquel, pienso invitar a mis padrinos a la fiesta sorpresa de mi mamá.

> ¡Excelente idea!

> Daniel, ¿por qué no preparas una torta de chocolate?

1. A Raquel le encanta que Daniel invite a sus padrinos a la fiesta.

3. Raquel quiere que __Daniel__ __prepare una torta__.

> Raquel, para beber, ¿traigo agua, jugos o refrescos?

> Mejor jugos y agua.

> Raquel, no voy a hacer empanadas. Es mucho trabajo.

> Vale, Daniel. No te preocupes.

2. Raquel prefiere que __Daniel__ __traiga jugos y agua__.

4. A Raquel no le importa que __Daniel no haga empanadas__.

28 ¡Ojalá que...!

ANSWERS WILL VARY

▶ **Escribe** tres deseos: uno para ti, otro para tus padres y otro para tus amigos(as).

1. __Ojalá que me acepten en la universidad que elegí.__

2. __Ojalá que mis padres siempre tengan buena salud.__

3. __Ojalá que mis amigos tengan éxito en la vida.__

Nombre: _____   **Fecha:** _____

VERBOS PRONOMINALES NO REFLEXIVOS

Verbos pronominales

Personas		Cosas	
acordarse	to remember	abrirse	to open
alegrarse	to be glad	arrugarse	to wrinkle
atreverse	to dare	caerse	to fall
despertarse	to wake up	calentarse	to warm
dormirse	to fall asleep	cerrarse	to close
enterarse	to find out	enfriarse	to get cold
olvidarse	to forget	mancharse	to get dirty
preocuparse	to worry	romperse	to break

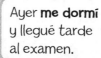

Ayer **me dormí** y llegué tarde al examen.

Verbos con cambio de significado

acordar	to agree	vs.	acordarse	to remember
aprender	to learn	vs.	aprenderse	to memorize
beber	to drink	vs.	beberse	to drink up
comer	to eat	vs.	comerse	to eat up
dormir	to sleep	vs.	dormirse	to fall asleep
estudiar	to study	vs.	estudiarse	to learn
ir	to go	vs.	irse	to leave
parecer	to seem	vs.	parecerse	to look like
quedar	to arrange to meet	vs.	quedarse	to stay
salir	to leave	vs.	salirse	to go beyond the limits

29 **Una estudiante muy responsable**

▶ **Subraya** el verbo correcto.

Una buena estudiante

Ana *estudia*/*se estudia* Español. Ahora *va*/*se va* a la biblioteca porque esta tarde tiene un examen y tiene que *aprender*/*aprenderse* los verbos irregulares en el pretérito. Nunca *acuerda*/*se acuerda* de cómo es el pretérito de los verbos *saber* y *poner*. Ayer por la noche no quiso *salir*/*salirse* con sus amigos y *durmió*/*se durmió* muy tarde porque *quedó*/*se quedó* estudiando. ¡Ojalá Ana apruebe el examen!

30 Pequeños accidentes

▶ **Completa** lo que le pasó a Isabel. Usa los verbos del recuadro.

| despertarse | calentarse | mancharse | quedarse |
| ~~abrirse~~ | cerrarse | caerse | romperse | dormirse |

¡Qué susto! Ayer estaba durmiendo y, de repente, la ventana de mi cuarto
____se abrió____, la puerta __se cerro__ por el viento, y el espejo
__se cayo__ y __se rompio__. Estaba tan asustada que
no __me dormi__ hasta las cinco de la madrugada. Así que esta mañana
__me desperte__ una hora más tarde. Mientras me duchaba, puse el café
en el microondas. Lo puse tanto tiempo que __se calento__ demasiado
y se salió de la taza, y la blusa y la falda __se mancharon__. Hay días
que es mejor __quedarse__ en casa.

31 Costumbres familiares

▶ **Completa** las preguntas. Después, contéstalas.

1. (acordarse) ¿____Te acuerdas____ siempre de los cumpleaños de tus amigos?

   Sí, siempre me acuerdo de sus cumpleaños.

2. (olvidarse) ¿ __Te olvidas__ de las cosas que te dicen tus padres?

   Sí, a veces me olvido de lo que me dicen.

3. (comerse) ¿ __Te comes__ siempre toda la comida del plato?

   Casi siempre me como toda la comida del plato.

4. (preocuparse) ¿ __Te preocupa__ la nota del examen de Español?

   No, no me preocupa porque estudié mucho.

5. (alegrarse) ¿Qué canción __te alegra__ el día?

   Me alegra el día «Boyfriend» de Justin Bieber.

6. (parecerse) ¿A qué miembro de tu familia quieres __parecerte__?

   Quiero parecerme a mi prima Susan.

Nombre: _____   **Fecha:** _____

32 Los gustos de Jaime

▶ **Escribe** un texto contando qué le gusta a Jaime y cuáles son sus deseos.

ANSWERS WILL VARY

el cine argentino

las fiestas de cumpleaños

quedar con los amigos

llegar temprano a los sitios

despertarse con música

no llover el sábado

aprobar la licencia de conducir

mi madre atreverse a volar en avión

aprender español

Pilar salir conmigo

A Jaime le gusta el cine argentino, llegar temprano a los sitios, quedar con sus amigos y despertarse con música. Le encantan las fiestas de cumpleaños.

Jaime desea que no llueva el sábado. Quiere aprobar la licencia de conducir y aprender español. Desea que su madre se atreva a volar en avión y que Pilar salga con él.

33 ¿Quedamos?

▶ **Ordena** esta conversación entre dos amigos que están haciendo planes.

1 ¡Hola, Arturo! ¿Te apetece venir esta tarde a mi casa?

4 Me apetece ver la última de Bardem.

3 Sí, ¿por qué no? ¿Qué película te apetece ver?

6 Muchas gracias, pero no puedo. Vienen mis abuelos a cenar y tengo que volver pronto a casa.

2 No, no me apetece mucho. Prefiero salir un rato. ¿Vamos al cine?

5 De acuerdo, a mí también. Y después te invito a comer algo. ¿Te apetece?

34 **¿Te apetece...?**

ANSWERS WILL VARY

▶ **Escribe** una respuesta aceptando o rechazando cada propuesta según la indicación.

Planes

TU AMIGO: ¿Te apetece montar en bicicleta mañana por la mañana?

TÚ: ☹ <u>Lo siento, pero tengo examen de Ciencias.</u>
_____

TU AMIGO: Ah, es verdad, no me acordaba del examen de Ciencias. Pues ¿te invito a comer comida mexicana?

TÚ: ☺ <u>De acuerdo.</u> . Me encanta la comida mexicana.

TU AMIGO: Después de comer, tengo que ir a la fiesta de cumpleaños de mi abuela. Cumple 90 años. ¿Te apetece venir?

TÚ: ☹ <u>Gracias, pero no puedo. Mi tío está en el hospital.</u>
_____

TU AMIGO: ¡Vaya, siento que tu tío esté en el hospital! ¿Y si vamos al cine por la noche?

TÚ: ☹ <u>No se... estoy muy cansada porque me quede</u>
<u>estudiando hasta las cuatro de la mañana.</u>

TU AMIGO: ¡Que te quedaste estudiando hasta las cuatro de la mañana! Bueno, pues olvídate del examen y vete a la cama. Mañana te llamo, ¿vale?

---

35 **Una invitación**

ANSWERS WILL VARY

▶ **Escribe** una invitación para uno de estos planes.

☐ partido de pelota mixteca ☐ concurso de baile ☐ fiesta de graduación

☐ lectura de poesía de Bécquer ☑ fiesta de cumpleaños ☐ baile de carnaval

---

Invitación: <u>Los invito a la celebración</u>
<u>de mi cumpleaños.</u>

Nombre del evento: <u>Los 16 de Carlos</u>
_____

Fecha y lugar del evento: <u>El domingo, 10 de junio,</u>
<u>a las 3:00 p. m. en el Parque Colón.</u>

¿Por qué debes asistir? <u>Habrá comida, música</u>
<u>y baile. ¡No te lo pierdas!</u>

Pon aquí una foto para decorar tu invitación.

Nombre: _____   Fecha: _____

LLAMADAS TELEFÓNICAS

la tarjeta telefónica	*phone card*	
el teléfono público	*public phone*	

Acciones

colgar el teléfono	*to hang up the phone*
comunicar	*to be busy*
dejar un recado	*to leave a message*
descolgar el teléfono	*to pick up the phone*
devolver una llamada	*to call back*
llamar más tarde	*to call later*
marcar un número	*to dial the number*
ponerse al teléfono	*to answer the phone*

Hablar por teléfono

¿Diga?	*Hello?*
¿Está...? / ¿Puedo hablar con...?	*May I speak with ...?*
¿De parte de quién?	*Who's calling?*

El celular

el buzón de voz	*voice mail box*
el celular	*cell phone*
la llamada perdida	*missed call*
mandar/enviar un mensaje de texto	*to send a text message*
quedarse sin batería	*to run out of battery*
quedarse sin saldo	*to run out of minutes*

Si quiere **dejar un recado**, espere la señal.

---

36 **¿Cómo se usa?**

▶ **Escribe** la acción que representa cada dibujo.

1. ponerse al teléfono

3. colgar el teléfono

5. marcar un número

2. descolgar el teléfono

4. mandar un mensaje

6. quedarse sin batería

37 Llamadas telefónicas

▶ **Elige** la opción correcta.

1. Si alguien está usando el teléfono, __el teléfono comunica__ .
   - (a.) el teléfono comunica
   - b. tienes una llamada perdida

2. Cuando no contestas tu celular, __tienes una llamada perdida__ .
   - (a.) tienes una llamada perdida
   - b. tienes que colgar el teléfono

3. Si alguien te deja un recado, tienes que __escuchar el buzón de voz__ .
   - (a.) escuchar el buzón de voz
   - b. devolver la llamada

4. Si no puedes hacer una llamada es porque __te quedaste sin saldo__ .
   - (a.) te quedaste sin saldo
   - b. colgaste el teléfono.

38 Llamada sin éxito

▶ **Completa** la conversación. Usa estas palabras y expresiones.

llamas más tarde	Puedo hablar con	celular	llamada perdida

Diga	dejarle un recado	De parte de quién	se quedó sin batería

—¿ __Diga__ ?

—Hola, buenos días. ¿ __Puedo hablar con__

Carmen, por favor?

—Lo siento, pero no está en este momento en casa.

¿ __De parte de quién__ ?

—Soy Marcos Rodríguez.

—Ah, hola, Marcos. ¿Quieres __dejarle__

__un recado__ ?

—No, gracias. Prefiero llamarla a su __celular__ .

Es que tengo una __llamada perdida__ suya.

—Pues creo que __se quedó sin batería__ .

¿Por qué no __llamas más tarde__ ?

Sobre las seis estará ya en casa.

—Vale, pues luego la llamo. Gracias. Adiós.

—De nada. Adiós.

Nombre: _____   Fecha: _____

EXPRESAR NECESIDAD U OBLIGACIÓN

Deber, tener que, haber que

| **deber** + infinitive | **Debes devolver** la llamada a tu profesor. |

| **tener que** + infinitive | **Tengo que llamar** a Carmen a las seis. |

| **haber que** + infinitive |

Hay que mandar un mensaje con el nombre del cantante.

Deber and **tener que** are used to indicate which person must do something. **Hay que** is used in impersonal expressions and does not change form.

39 Normas generales

▶ **Relaciona** para hacer oraciones con sentido.

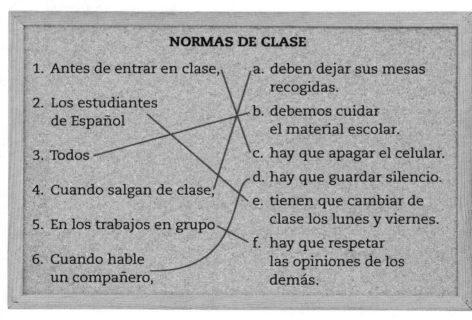

NORMAS DE CLASE

1. Antes de entrar en clase,

2. Los estudiantes de Español

3. Todos

4. Cuando salgan de clase,

5. En los trabajos en grupo

6. Cuando hable un compañero,

a. deben dejar sus mesas recogidas.

b. debemos cuidar el material escolar.

c. hay que apagar el celular.

d. hay que guardar silencio.

e. tienen que cambiar de clase los lunes y viernes.

f. hay que respetar las opiniones de los demás.

▶ **Escribe** dos normas más para tu clase.

Hay que participar en las actividades.

Todos debemos prestar atención y tomar notas.

40 Hay que...

▶ **Completa** estos titulares con *hay que* o *tiene que*.

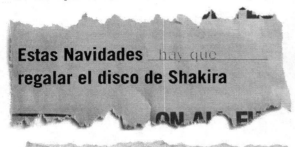

Estas Navidades _hay que_ **regalar el disco de Shakira**

Lo que no _tiene que_ **hacer un chico en la primera cita**

101 libros que _hay que_ **leer antes de dormir**

¿Qué _tiene que_ **saber un turista que viaja a México?**

41 Problemas telefónicos

▶ **Completa** estas oraciones con *hay que* o *tener que*. Usa la forma apropiada del verbo *tener*.

1
Ana ha perdido su teléfono celular.
Tiene que informar a su compañía.

3
Cuando el teléfono se queda sin batería, _hay que_ ponerlo a cargar.

2
Para participar en el concurso _hay que_ mandar un mensaje de texto al 572 con la palabra PARTICIPA.

4
Tengo que llamar a Ana porque tengo una llamada perdida suya.

5
Si quieres hablar con Lucia, _tienes que_ llamar más tarde.

42 Obligaciones familiares

▶ **Escribe** cuatro obligaciones que tienes en tu casa.

1. Tengo que limpiar mi cuarto.

2. Debo ayudar a preparar la comida.

3. Hay que cortar el césped una vez al mes.

4. Tengo que ayudar a mi hermanito con la tarea.

Nombre: _____ **Fecha:** _____

HABLAR DEL FUTURO

El futuro imperfecto

To talk about the future you can use:

ir a + infinitive

Vamos a ir a una fiesta.

future

Iremos a una fiesta.

Futuro. Verbos regulares

Regular verbs form the future tense by adding these endings to the infinitive:

-é	-emos
-ás	-éis
-á	-án

Marcadores de futuro

hoy	mañana
luego/después	pasado mañana
en una hora	esta tarde/noche

la próxima semana/la semana que viene
el próximo mes/el mes que viene
el próximo año/el año que viene

Futuro. Verbos irregulares

poder → podr-	decir → dir-
poner → pondr-	hacer → har-
salir → saldr-	querer → querr-
tener → tendr-	saber → sabr-
venir → vendr-	haber → habr-
valer → valdr-	caber → cabr-

Cuando + presente de subjuntivo

Use this structure when refering to situations and events that have not yet occurred.

Cuando venga Juan, haremos el una fiesta.

43 El futuro

▶ **Completa** los planes de futuro de Adela.

Cuando tenga un trabajo...

(hacer) __**haré**__ una fiesta para celebrarlo.

(poder) __**podré**__ viajar.

(salir) __**saldré**__ todos los fines de semana con mis amigos.

(tener) __**tendré**__ dinero para comprarme un coche.

(querer) __**querré**__ tener más tiempo para estudiar.

44 Bailarina de salsa

▶ **Escribe** oraciones para contar lo que hará Natalia Guzmán.

1. Cuando salga de su casa a las nueve, tomará un taxi.

2. Cuando **llegue a la estación, subirá al tren para Monterrey.**

3. **Cuando se reúna con Antonio, firmará el contrato.**

4. **Cuando tome un taxi, irá al ensayo.**

5. **Cuando llegue al camerino, se maquillará.**

6. **Cuando salga al escenario, ensayará los bailes.**

> **Agenda – 25 de septiembre**
>
> 9:00 Salir de casa / tomar un taxi
>
> 9:45 Llegar a la estación / subir al tren para Monterrey
>
> 10:15 Reunirme con Antonio / firmar el contrato
>
> 11:30 Tomar un taxi / ir al ensayo
>
> 12:30 Llegar al camerino (*dressing room*) / maquillarme
>
> 1:30 Salir al escenario (*stage*) / ensayar los bailes con la banda

45 De gira por Latinoamérica

▶ **Fíjate** en el calendario de actuaciones de Natalia Guzmán y completa el texto con los marcadores de futuro correspondientes.

> Calendario de actuaciones
>
> 9 de octubre, 10:30 – Buenos Aires
>
> 10 de octubre – Córdoba
>
> 12 de octubre – Rosario
>
> Del 17 al 23 de octubre – México D. F.
>
> 1 y 2 de noviembre – Miami
>
> Enero – Santiago de Chile y Valparaíso

Hoy es domingo 9 de octubre. Natalia Guzmán actuará esta noche en Buenos Aires. **Mañana** su espectáculo de salsa irá hasta Córdoba, y **en tres días** la podrán ver los habitantes de Rosario. **La próxima semana** cambiará de país y la podremos ver en México D. F., y **el mes que viene** sus fans de Miami podrán disfrutar de esta gran bailarina. Después se tomará unos días de descanso y podremos volver a verla **el próximo año** en Chile.

46 Mirando al futuro

▶ **Completa** lo que harás en esta situación.

Cuando aprenda a hablar bien español, **iré de viaje a varios países del mundo hispano**

.

Nombre: _____   **Fecha:** _____

47   Concurso de baile

▶ **Completa** las normas para el concurso de baile que se va a celebrar en tu escuela. Te damos algunas ideas.

- ¿Cuándo, dónde y cómo hay que hacer la inscripción?
- ¿Cómo tienen que ir vestidos los participantes?
- ¿Quién tiene que llevar la música?
- ¿Cómo tienen que estar formadas las parejas o los grupos?
- ¿Cuánto tiempo tienen que bailar?
- ¿Qué tipos de baile deben bailar?

CONCURSO DE BAILES LATINOS

¿Quieres participar en nuestro concurso de baile? Lee las normas, inscríbete y participa.

Primera

El concurso de baile estará abierto a todos los estudiantes, a sus padres y a los profesores de la escuela.

Segunda

Inscríbete en la oficina de la escuela. Podrás hacerlo del 15 al 30 de septiembre.

Tercera

Los participantes deben llevar la ropa típica de su baile. Cada pareja llevará su propia música.

Cuarta

Podrán competir parejas y grupos de cuatro personas.

Quinta

Las parejas o grupos tendrán un máximo de tres minutos. Se permitirá cualquier baile de salón.

48 Una llamada muy importante

▶ **Completa** esta conversación telefónica. Sigue las indicaciones del recuadro.

> • Pregunta por Anabel Fuentes, directora del Departamento de Personal.
> • Pregunta cuándo puedes volver a llamarla.
> • Di que le digan que llamaste y que volverás a llamar.

SECRETARIA: Salsa Latina, ¿dígame?

TÚ: **Buenos días. ¿Puedo hablar con la señora Fuentes?**

SECRETARIA: Buenos días. ¿Quién le llama?

TÚ: **Soy Elena García.**

SECRETARIA: Pues está en una reunión. ¿Quiere dejarle un recado?

TÚ: **No, gracias. La volveré a llamar en una hora.**

SECRETARIA: Pues es que no sé cuándo va a acabar la reunión. ¿No prefiere dejarle un recado?

TÚ: **Sí. ¿Puede decirle que la llamé?**

SECRETARIA: Muy bien. Le paso el recado. Adiós, buenos días.

TÚ: **Gracias. Hasta luego.**

49 El futuro

▶ **Escribe.** ¿Cómo se imagina Manuel que serán los profesores, los patines, la comida y las vacaciones en el año 3000?

En el año 3000... **los profesores serán robots. Podremos volar con un patín. La comida vendrá en sobres e iremos de vacaciones a la Luna.**

Nombre: _____ **Fecha:** _____

50 Una dedicatoria

(ANSWERS WILL VARY)

▶ **Contesta** estas preguntas sobre uno(a) de tus amigos(as).

1. ¿Te acuerdas dónde y cuándo se conocieron?

   Nos conocimos en la escuela, hace siete años.

2. ¿Qué es lo que más te gustó de él/ella al principio?

   Me gustó su sinceridad.

3. ¿Cuáles de estas cosas te gustan más de esa persona?

   ☐ Su fidelidad.

   ☐ Me ayuda cuando tengo un problema.

   ☑ La confianza que tenemos.

   ☑ Sabe perdonar.

   ☐ Siempre me apoya.

   ☑ Nunca miente.

   ☐ No se olvida nunca de sus amigos.

   ☐ Respeta las opiniones de todo el mundo.

   ☐ Otros: _____

4. ¿Qué sientes cuando se...

   ☑ ven? **Siento alegría cuando nos vemos.**

   ☑ pelean? **Me siento triste cuando nos peleamos.**

   ☐ cuentan sus problemas? _____

5. Piensa en él/ella y completa esta oración.

   Me alegra mucho **conocerlo** .

   Ojalá **que siempre seamos amigos** .

(ANSWERS WILL VARY)

▶ **Escribe** una dedicatoria para él/ella con la información anterior. Después, pon una foto para decorarla.

> Desde que te conocí me gustó tu
> sinceridad. Aprecio tu confianza
> y admiro que sabes perdonar. Me
> alegro cuando te veo y me pongo
> triste si nos peleamos. Ojalá que
> siempre seamos amigos.

Aquí puedes
poner una foto.

51 **Planes con tus amigos**

▶ **Elige** uno de estos planes y escribe varios mensajes de texto para invitar a un(a) amigo(a).

1
q tal?
vnes al
concrto?

Hola, + o
−, y tú?
qndo?

2
bien. l
sabdo

y dnd?

3
n l estdio

Vale.

52 **Mis objetivos**

▶ **Escribe** tus objetivos para tus clases de Español para este año. Estas ideas te pueden ayudar.

mejorar mi pronunciación   *practicar la escritura*   *estudiar los verbos irregulares*   *ver películas en español*   *leer novelas*   *aprender más sobre la cultura española e hispanoamericana*

1. Quiero __mejorar mi pronunciación__ .

2. Voy a __practicar la escritura__ .

3. Tengo que __estudiar los verbos irregulares__ .

4. Debo __aprender más sobre la cultura española e hispanoamericana__ .

5. Me apetece __leer novelas__ .

6. Me interesa __ver películas en español__ .

7. Cuando mejore mi español, __visitaré Costa Rica__ .

Nombre: _____ **Fecha:** _____

53 **Las reglas del juego**

▶ **Escribe** cuatro oraciones para comparar las normas del juego de pelota con las normas de tu deporte favorito.

> **El juego de pelota**
>
> Los principales lugares en donde se practica actualmente este juego son Oaxaca de Juárez, Etla, Tepozcolula, Magdalena Jaltepec, Pochutla, Puebla, Ciudad de México, Estado de México y algunos estados de los Estados Unidos.
>
> El juego de pelota mixteca se practica con una pelota que pesa 900 gramos y un guante cuyo peso varía entre 5 y 7 kilogramos.
>
> El terreno de juego es un espacio de 8 a 11 metros de ancho por 100 o 120 metros de largo de tierra.
>
> Los equipos están formados por cinco jugadores y un suplente (*substitute*). Un equipo se coloca en la zona llamada saque y el otro, en la zona llamada resto. En un extremo de la cancha hay una piedra que sirve para botar la pelota al iniciar un juego o continuar la jugada; es la llamada «piedra de saque» o botadera.
>
> Los equipos no tienen una posición fija y los jugadores pueden moverse de su posición según la jugada.
>
> Un partido tiene tres juegos. La forma de conteo es 15, 30, 40 y juego, lo que equivale a 50 puntos. Gana el equipo que haga 100 o 150 puntos según el acuerdo inicial.
>
> En cada partido hay un «chacero» o juez, que es el encargado de llevar el conteo, señalar las faltas y resolver las jugadas dudosas.
>
> En su práctica diaria, los jugadores usan la ropa cotidiana. En cambio, en las competencias que se celebran en las festividades religiosas o populares visten con uniformes deportivos.

En baloncesto, los equipos están formados por diez jugadores, pero en el juego de la pelota **los equipos son de cinco jugadores. El baloncesto se juega en una cancha de 15 metros de ancho por 28 de largo, pero en el juego de pelota el terreno mide de 8 a 11 metros de ancho por 100 o 120 de largo. El baloncesto se juega con un balón que se lanza con las manos, pero en el juego de pelota se usa un guante para golpear la pelota.**

54 Un poco de cultura

▶ **Lee** las oraciones y corrige la información falsa. En cada texto hay tres errores.

1 CORREGIR

El 23 de agosto se celebra en Andalucía el día de san Jordi, patrón de esta comunidad autónoma.

Los hombres suelen regalar a las mujeres un ramo de rosas y dulces.

– **El 23 de abril se celebra en Cataluña...**

– **patrón de Cataluña**

– **una rosa y un libro**

2 CORREGIR

Gustavo Adolfo Bécquer (1836-1870) es un escritor argentino. Su obra más conocida son sus *Leyendas*. Las leyendas son cuentos breves que tratan, sobre todo, del amor y los sentimientos.

– **escritor español**

– **Su obra más conocida son sus** *Rimas.*

– **Las** *Rimas* **son poemas breves.**

3 CORREGIR

La noche del 15 de septiembre, en Chile, se celebra el Grito de Dolores para conmemorar el principio de la Guerra de la Independencia (1810). A las 11:00 p. m. el presidente toca la Campana de Dolores y toda la gente reunida en el salón del Palacio Nacional grita tres veces: «¡Viva Chile!».

– **en México**

– **la gente reunida en el Zócalo o en las plazas mayores**

– **Grita: «¡Viva México!».**

El juego del conocimiento

Nombre: _____ **Fecha:** _____

Elige en cada casilla una opción para formar un diálogo coherente entre todas las casillas.

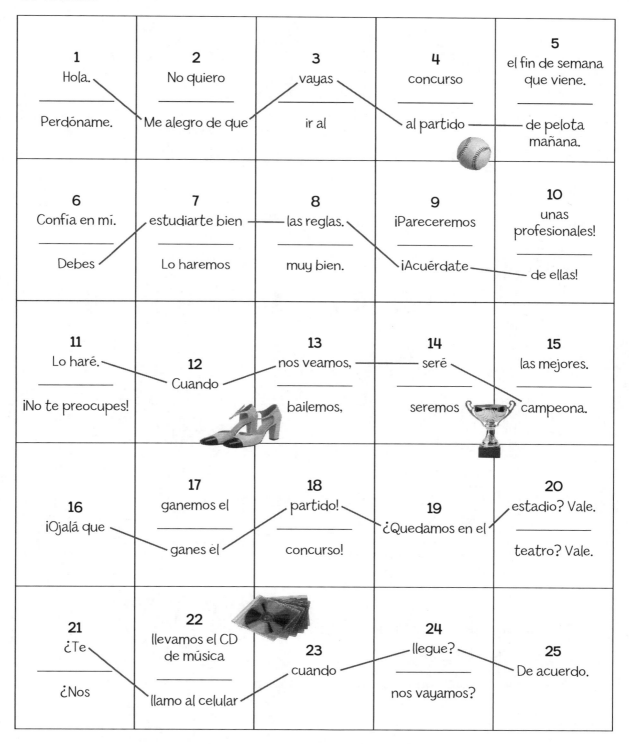

1 Hola. ——————— Perdóname.	2 No quiero ——————— Me alegro de que	3 vayas ——————— ir al	4 concurso ——————— al partido	5 el fin de semana que viene. ——————— de pelota mañana.
6 Confía en mí. ——————— Debes	7 estudiarte bien ——————— Lo haremos	8 las reglas. ——————— muy bien.	9 ¡Pareceremos ——————— ¡Acuérdate	10 unas profesionales! ——————— de ellas!
11 Lo haré. ——————— ¡No te preocupes!	12 Cuando	13 nos veamos, ——————— bailemos,	14 seré ——————— seremos	15 las mejores. ——————— campeona.
16 ¡Ojalá que	17 ganemos el ——————— ganes el	18 partido! ——————— concurso!	19 ¿Quedamos en el	20 estadio? Vale. ——————— teatro? Vale.
21 ¿Te ——————— ¿Nos	22 llevamos el CD de música ——————— llamo al celular	23 cuando	24 llegue? ——————— nos vayamos?	25 De acuerdo.

Un mapa conceptual

Crea en tu cuaderno un mapa conceptual sobre este tema. Añade
dos subcategorías más e incluye tanta información como puedas.

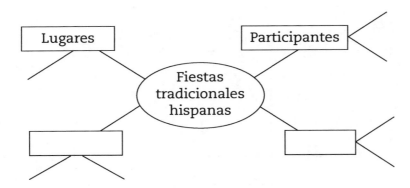

Cultura

Contesta estas preguntas.

1. ¿Dónde se practicaba el juego de pelota?

   En varias ciudades de México y de EE. UU.

2. Además del amor, ¿de qué otros temas tratan las canciones
   de Juan Luis Guerra?

   De la sociedad y de la cultura hispana.

3. ¿Qué grita el presidente de México la noche del 15 de septiembre?

   Grita ¡Viva México! tres veces.

4. Si alguien quiere participar en un concurso de baile latino,
   ¿qué bailes tiene que preparar?

   Tiene que preparar bailes de salsa, tango o chachachá.

5. ¿Qué se regala el Día de san Jordi?

   Una rosa y un libro.

6. ¿Dónde es tradición levantar torres humanas durante las fiestas?

   En Cataluña (España).

Nombre: _____ **Fecha:** _____

1 ¿Qué se lleva?

▶ **Completa** con las palabras que faltan.

¿Quieres saber qué se lleva esta primavera-verano?
Aquí te lo contamos todo.

Esta temporada se llevan las ___camisas___ de flores y las ___faldas___ cortas y de colores claros.

Se llevan las ___camisetas___ de rayas estilo marinero, y las ___gafas de sol___ _____ son XXL.

Para los días de lluvia nunca olvides en casa ni tu ___impermeable___ ni tus ___botas___ de agua. Este año son lo más *in*.

Se llevan los ___pantalones___ de colores y para los días de mucho calor los ___vestidos___ de algodón son la mejor opción.

2 Y tú, ¿qué llevas?

▶ **Describe** la ropa que llevas puesta ahora.

Llevo puesta una falda azul y una blusa blanca.

Llevo también unas sandalias de cuero.

3 Mi casa

▶ **Escribe** el nombre de las partes de esta vivienda.

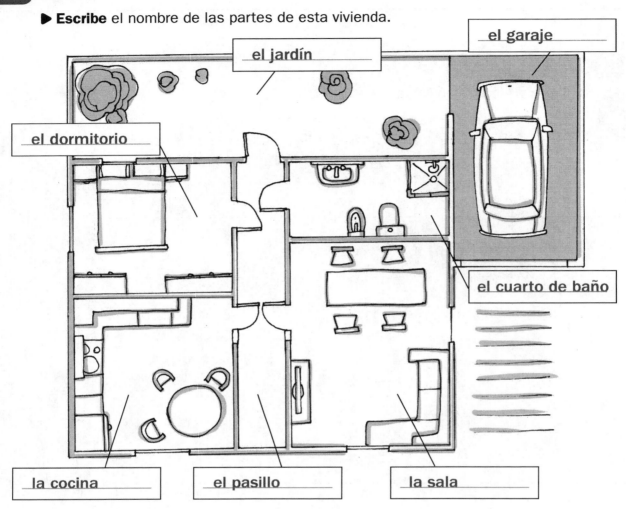

el jardín

el garaje

el dormitorio

el cuarto de baño

la cocina

el pasillo

la sala

EXPRESIONES ÚTILES

4 De mudanza

▶ **Relaciona** las preguntas y respuestas.

Ⓐ

1. ¿Puedes ayudarme a llevar estas sillas?

2. ¿Te ayudo con esos sillones?

3. ¿Me haces un favor? Deja esta lámpara en el dormitorio.

4. ¿Te echo una mano con esa estantería?

5. Déjame que te ayude a colocar este espejo.

Ⓑ

a. Gracias. Voy a colgarlo en la pared del dormitorio.

b. Sí, por favor, ponlos en la sala.

c. Sí, las pongo en el jardín, ¿verdad?

d. Sí, claro. La dejo al lado de la cama.

e. Sí, gracias. Vamos a ponerla en el comedor.

▶ **Dibuja** los muebles y accesorios en el lugar apropiado del plano de la actividad 3.

Nombre: ....   **Fecha:** ....

ROPA

el bolsillo	*pocket*
el botón	*button*
los cordones	*shoelaces*
la cremallera	*zipper*
el cuello	*collar*
la manga	*sleeve*
el cinturón	*belt*
el pañuelo	*handkerchief*
el paraguas	*umbrella*
los zapatos de tacón	*high-heeled shoes*
los zapatos planos	*low-heeled shoes*
el número	*shoe size*
la talla	*size*

Materiales

el cuero	*leather*
el poliéster	*polyester*
la seda	*silk*
el terciopelo	*velvet*

¿Cómo te queda?

amplio(a) / ajustado(a)	*loose / tight*
ancho(a) / estrecho(a)	*wide / tight*
bien / mal	*well / badly*
largo(a) / corto(a)	*long / short*
pequeño(a) / grande	*small / big*

Acciones

(des)abrocharse	*to (un)fasten*
(des)atarse	*to (un)tie*
ponerse	*to put on*
quitarse	*to take off*

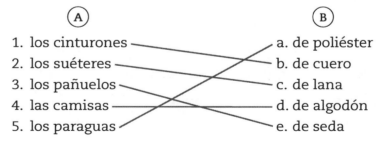

Esta camiseta **me queda muy grande**. ¿Me puede traer otra **talla**, por favor?

---

5   ¿De qué está hecho?

▶ **Relaciona** cada prenda o complemento con el material que se suele usar para fabricarlo.

(A)

1. los cinturones
2. los suéteres
3. los pañuelos
4. las camisas
5. los paraguas

(B)

a. de poliéster
b. de cuero
c. de lana
d. de algodón
e. de seda

6   ¿Qué es?

▶ **Escribe** el nombre de las diferentes partes de esta camisa.

el cuello

el bolsillo

la manga

el botón

7 **La ropa equivocada**

▶ **Marca.** ¿Qué crees que tiene que hacer Daniel en esta situación?

Daniel tiene que...

☑ atarse los cordones.

☑ tomar un paraguas.

☐ desabrocharse la sudadera.

☑ ponerse un cinturón en el pantalón.

☐ ponerse unos tenis de su número.

☑ cambiarse la sudadera porque le queda pequeña.

8 **Salir de casa**

▶ **Completa** las oraciones que dice Laura a su hijo Nicolás antes de salir de casa.

átate	abróchate	ponte	quedan	quites

1 Nicolás, _____ **abróchate** los botones de la camisa.

2 Nicolás, **ponte** el cinturón porque esos pantalones te **quedan** grandes.

3 Nicolás, **átate** los cordones, por favor, y no te **quites** la bufanda, que hace mucho frío.

9 **¿Cómo me queda?**

ANSWERS WILL VARY

▶ **Fíjate** en el dibujo y completa el diálogo con las respuestas de Valeria.

—Valeria, ¿cómo te quedan los pantalones?

—Fatal. __Me quedan muy ajustados.__

—¿Y el abrigo?

— __Me queda muy grande.__

—¿Y te probaste ya los zapatos?

— __Sí, pero me quedan estrechos.__

Nombre: _____   **Fecha:** _____

EL PARTICIPIO

Participio. Verbos regulares

-*ar* verbs ⟶ add -*ado*	hablar ⟶ habl**ado**
-*er* verbs ⟶ add -*ido*	comer ⟶ com**ido**

Estos pantalones están **rotos**.

Participio. Verbos irregulares

abrir ⟶ **abierto**	poner ⟶ **puesto**	hacer ⟶ **hecho**	ver ⟶ **visto**
cubrir ⟶ **cubierto**	resolver ⟶ **resuelto**	decir ⟶ **dicho**	escribir ⟶ **escrito**
morir ⟶ **muerto**	volver ⟶ **vuelto**	romper ⟶ **roto**	describir ⟶ **descrito**

Remember to use a written accent with these participles:

caer ⟶ **caído**   traer ⟶ **traído**   leer ⟶ **leído**   creer ⟶ **creído**   oír ⟶ **oído**

La construcción *estar* + participio

Use this construction to express the state or condition of a subject as a result of a previous action.

Antonio **planchó** su ropa. Su ropa **está planchada**.

10 En el coche

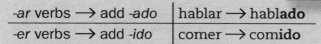

▶ **Contesta** las preguntas. Usa el participio de los verbos del recuadro.

abrir	abrochar	cerrar	encender	sentar

1. ¿Cómo debes llevar el cinturón de seguridad?

   Debo llevarlo abrochado.

2. El aire acondicionado no funciona. ¿Cómo llevarás las ventanas?

   Las llevaré abiertas.

3. ¿Dónde deben ir los niños?

   Deben ir sentados   detrás.

4. ¿Cómo debes llevar las luces si viajas de noche?

   Debo llevarlas encendidas.

5. ¿Cómo deben estar las ventanas en un túnel de lavado (*car wash*)?

   Deben estar cerradas.

11 Estado lógico

▶ **Escribe** una deducción lógica para cada situación.

1. César se despertó esta mañana. _César está despierto._

2. Arregló la cremallera de su chaqueta. _La cremallera_ **está arreglada.**

3. Planchó su ropa. **Su ropa está planchada.**

4. Hizo la comida. **La comida está hecha.**

5. Después se duchó. **Está duchado.**

6. Luego se vistió. **Está vestido.**

7. Y hace un rato se tumbó en el sofá. **Está tumbado en el sofá.**

12 Un ladrón muy extraño

▶ ¿Cómo se ha encontrado Daniela su casa? **Fíjate** en los dibujos y completa el diálogo.

Policía: Y dígame, ¿qué estaba distinto cuando usted llegó?

Daniela: Pues cuando llegué, la puerta _estaba abierta, la ropa estaba lavada_
y planchada, la comida estaba preparada, había unos platos rotos, los
zapatos estaban limpios y el crucigrama estaba resuelto

Nombre: ....   **Fecha:** ....

HABLAR DE ACCIONES RECIENTES. EL PRESENTE PERFECTO

El presente perfecto

- *This tense describes actions that have already happened at the time we consider to be the present.*

  Esta mañana **he trabajado** en casa.

- *This tense can also be used to describe actions that have recently ended.*

  Eduardo **ha llamado** ahora mismo.

Formación del presente perfecto

VERBO HABLAR. PRESENTE PERFECTO

yo	he hablado	nosotros nosotras	hemos hablado
tú	has hablado	vosotros vosotras	habéis hablado
usted él ella	ha hablado	ustedes ellos ellas	han hablado

Esta semana **he hecho** una bufanda a mi nieta.

13 Ahora mismo

▶ **Transforma** estas oraciones siguiendo el modelo.

1. María acaba de llegar. Lleva aquí dos minutos.

   María ha llegado hace dos minutos.

2. Acabo de colgar el teléfono. Era Juan.

   He hablado con Juan.

3. Fernando se acaba de ir. Si corres, lo alcanzas.

   Fernando se ha ido hace un momento.

4. Cristina acaba de terminar los deberes.

   Cristina ha terminado los deberes.

▶ **Escribe** dos cosas que has hecho.

1. Hace cinco minutos **he hablado por teléfono** .

2. Esta mañana **he desayunado cereales con leche** .

3. Esta semana **he hecho muchos exámenes** .

14 Un día muy ocupado

▶ **Completa** el texto con todo lo que ha hecho hoy Darío.

El día de Darío

Darío se ha levantado hoy muy temprano porque tenía que hacer muchas cosas. Primero, _ha sacado_ al perro a dar un paseo. Después, _ha hecho_ las tareas y _ha estudiado para el examen_. Luego _ha puesto la lavadora_ y _ha comprado el pan_. Finalmente, _ha llamado a su abuela para felicitarla_.

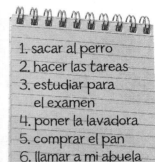

1. sacar al perro
2. hacer las tareas
3. estudiar para el examen
4. poner la lavadora
5. comprar el pan
6. llamar a mi abuela para felicitarla

15 El año de Lucía

▶ **Escribe** todo lo que ha hecho Lucía este año.

ANSWERS WILL VARY

Este ha sido un año muy especial para mí porque... **me he graduado en la universidad, me he enamorado, he comprado un coche y he visitado China.**

Nombre: _____   **Fecha:** _____

16 Del taller a la tienda

▶ **Lee** este texto y decide si las oraciones son ciertas (C) o falsas (F).

¿Cómo se diseña una prenda?

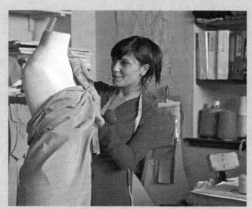

La prenda que compramos en las tiendas y los grandes almacenes es el resultado final de mucho tiempo de trabajo.

Antes de ponernos un suéter o un pantalón, el diseñador ha hecho muchas tareas. En primer lugar, ha estudiado varios informes sobre tendencias de moda y ha definido el estilo de su colección. La colección puede estar inspirada en lugares, épocas, situaciones… y a menudo recibe un nombre que está relacionado con el diseñador o el estilo elegido.

Luego, ha visitado fábricas para ver nuevos materiales y ha elegido las telas (lanas, sedas, terciopelo, cuero, etc.) y los estampados (flores, rayas, lunares, cuadros, etc.). También ha elegido botones, cordones, cremalleras… y ha definido todas las prendas y complementos (zapatos, cinturones, bolsos, pañuelos, gafas…) que formarán su colección.

Después, ha hecho muchos bocetos (*sketches*) y en sus talleres se han cosido (*sewed*) los prototipos con materiales baratos y se ha comprobado cómo quedan puestos. Si alguna prenda queda mal, ha mejorado el prototipo.

Finalmente, ha creado un ejemplar de cada prenda con los materiales definitivos y se los ha mostrado a los compradores.

1. Los diseñadores eligen las telas, los estampados y los complementos que formarán parte de su colección. Ⓒ F

2. Los prototipos están hechos con los materiales definitivos. C Ⓕ

3. La prenda definitiva es igual a los primeros bocetos. C Ⓕ

4. El último paso del proceso es presentar las prendas a los futuros compradores. Ⓒ F

17 **Titulares**

▶ **Lee** estos titulares y escribe una oración usando el presente perfecto.

1
Carolina Herrera abre su primera tienda en Santo Domingo

2
Carolina Herrera vuelve a brillar en la semana de la moda de Nueva York

3
Carolina Herrera pone de moda el estilo asiático

4
Carolina Herrera rompe su silencio y revela sus secretos de belleza

5
Carolina Herrera diseña el vestido de boda de Bella en la saga Crepúsculo

1. Ha abierto su primera tienda en Santo Domingo.

2. Ha brillado en la semana de la moda.

3. Ha puesto de moda el estilo asiático.

4. Ha roto su silencio y ha revelado sus secretos.

5. Ha diseñado el vestido de boda de Bella.

18 **¡Tú eres el diseñador!**

▶ **Mejora** el diseño de estos pantalones y explica los cambios que has hecho.

He quitado los bolsillos delanteros y he hecho

las piernas más ajustadas. También he cambiado

la tela y el color.

Nombre: _____   **Fecha:** _____

DESCRIBIR OBJETOS

auténtico(a)	real, authentic
de muy buena calidad	top-quality, high quality
elegante	elegant
natural	natural
práctico(a)	practical, useful

Colores

amarillo limón	lemon yellow
azul oscuro	dark blue
rojizo	reddish
rojo brillante	bright red
verdoso	greenish

Formas

cuadrado(a)	square
ovalado(a)	oval
rectangular	rectangular
redondo(a)	round

Materiales

de cerámica	ceramics
de hierro	iron
de lana	woolen
de madera	wooden
de metal	metal
de plástico	plastic

Textura

áspero(a)	rough
suave	smooth, soft
blando(a)	soft
duro(a)	hard

Me gusta porque es muy **suave**.

---

19 **Está hecho de...**

▶ **Escribe.** ¿De qué están hechos estos objetos?

  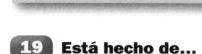 

1. _de cerámica_ 2. _de madera_ 3. _de metal_ 4. _de plástico_

▶ **Escribe.** ¿De qué materiales están hechos los objetos que hay encima de tu mesa?

Hay objetos de plástico, de cerámica y de metal.

20 Texturas

▶ **Relaciona** para formar oraciones lógicas.

Ⓐ

1. ¡Qué suave es
2. ¡Qué dura está
3. ¡Qué blanda es
4. ¡Qué áspera tienes

Ⓑ

a. esta galleta! Creo que me he roto un diente.
b. la piel! Tienes que echarte crema.
c. tu bufanda! ¿Es de lana?
d. esta pelota! Claro, es que es para bebés.

21 Mercadillo solidario

▶ En tu escuela han organizado un mercadillo. **Describe** cada uno de estos objetos para hacer un cartel. Usa las palabras y expresiones del cuadro.

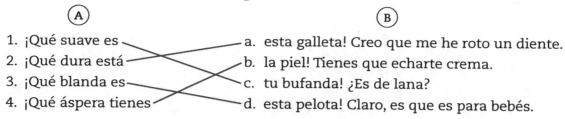

| elegante | suave | colores oscuros | redondo(a) | práctico(a) | de metal | de cerámica |
| auténtico(a) | colores claros | cuadrado(a) | de muy buena calidad | de lana |

¡Ven a visitar nuestro mercadillo solidario! En él vas a encontrar muchos objetos muy bonitos y a muy buen precio. Estas son algunas de las cosas que podrás comprar.

Plato **redondo de cerámica con diseños de colores oscuros.**

Collar de jade **de cuentas cuadradas y colores claros. Es muy elegante.**

Botes **de metal. Son muy prácticos.**

Bufanda **de lana auténtica. Es de muy buena calidad y muy suave.**

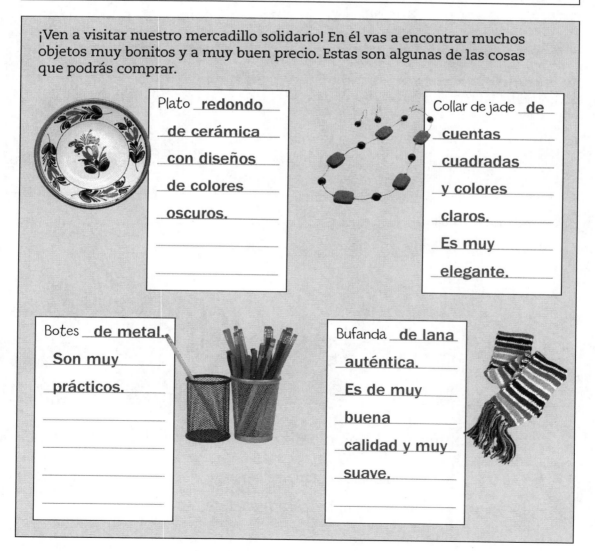

Nombre: ....   **Fecha:** ....

LOS INDEFINIDOS

Existencia

Positivos		Negativos	
algo	something	nada	nothing
alguien	someone	nadie	nobody
algún, alguno(a), algunos(as)	a few, any, one, some	ningún, ninguno(a)	no, (not) any, none

Cantidad

poco(a)(os)(as)	some, few
varios(as)	several
mucho(a)(os)(as)	many, a lot of
demasiado(a)(os)(as)	too much, too many
todo(a)(os)(as)	all, every, throughout

Otros indefinidos

otro(a)(os)(as)	another
cualquier(a)	whichever

> En esta tienda **todo** es muy caro para mí.

22 ¿Quién es?

▶ **Subraya** el indefinido correcto. Después, contesta la pregunta.

> Todo el mundo lo conoce, pero _nadie_/ _todos_ sabe su dirección ni su código postal (_zip code_). _Muchos_/ _Demasiados_ niños le escriben para pedirle cosas. Es _alguien_/ _algo_ que no se ve _muchos_/ _todos_ los días. No viaja en _algún_/ _ningún_ medio de transporte convencional. _Todos_/ _Varios_ los años se ven películas y se cantan canciones sobre él. ¿_Alguno_/ _Ninguno_ sabe quién es?
>
> __Santa Claus.__

23 **Mal día para comprar**

▶ **Completa** el diálogo con las palabras del recuadro.

| algún | alguna | ningún | otras | todas | ninguna | varios | cualquier |

Tú: ¿Tiene __alguna__ bandeja de madera?

Dependiente: No, lo siento. No tengo __ninguna__.

Tú: ¿Y tiene __algún__ adorno de cerámica?

Dependiente: No, no tengo __ningún__ adorno de cerámica.

Tú: Esta alfombra está bien, pero los colores oscuros no me gustan.

¿Tiene __otras__ alfombras?

Dependiente: Sí, tengo __varios__ modelos,

pero __todas__ son de colores oscuros. La semana que viene

tendré alfombras nuevas.

Tú: Vale. Pues vendré __cualquier__ día de la semana que viene.

24 **¿Qué hay?**

▶ **Señala** los tres errores que hay en el texto.

CORREGIR

Mi salón de clase

Aquí es donde recibo mis clases de Español. Como puedes ver, hay muchas mesas y sillas porque no somos muchos alumnos. Detrás de las mesas, hay algunas estanterías con muchos libros. A todos nos gusta demasiado leer y podemos tomar todos los libros que queramos en cualquier momento. En las paredes tenemos algún póster, pero sí tenemos muchas fotos de cosas relacionadas con el español (ciudades, gente, mercados, ropa…).

▶ **Corrige** las oraciones que tienen errores.

… hay pocas mesas y sillas porque no somos muchos alumnos.

A todos nos gusta mucho leer y…

En las paredes no tenemos ningún póster, pero…

Nombre: ....   **Fecha:** ....

CONSTRUCCIONES IMPERSONALES. EL PRONOMBRE *SE*

El pronombre *se* impersonal

se + verb in the 3rd person

—¿Cómo **se dice** *alpaca* en inglés?
—**Se dice** igual, *alpaca*.

Uso de *se* + verbo en tercera persona con valor impersonal

*When the impersonal **se** is followed by an infinitive or a clause that begins with **que**, the verb is in the third person singular form.*

Se puede estacionar delante de la tienda.
Se ve que este suéter es de lana de alpaca.

*When speaking about a noun, the verb must agree in number with the noun. In these cases, the construction **se** + verb acts as the passive voice.*

Se vende traje regional barato.
También **se venden** botas y suéteres.

---

25 Se vende

▶ **Completa** estas preguntas.

se vende		se venden

1. ¿Aquí __se venden__ productos artesanos de metal?
2. ¿Aquí __se vende__ este adorno en forma ovalada?
3. ¿Aquí __se venden__ sillas de madera?
4. ¿Aquí __se venden__ alfombras de lana baratas?
5. ¿Aquí __se vende__ ropa indígena de algodón?

▶ **Relaciona** para formar respuestas coherentes.

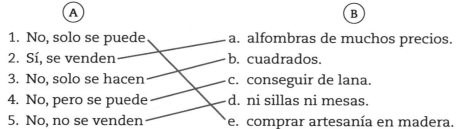

       (A)   (B)

1. No, solo se puede   a. alfombras de muchos precios.
2. Sí, se venden   b. cuadrados.
3. No, solo se hacen   c. conseguir de lana.
4. No, pero se puede   d. ni sillas ni mesas.
5. No, no se venden   e. comprar artesanía en madera.

---

26 Letreros informativos

▶ **Completa** estos letreros con una construcción con *se*. Usa estos verbos.

arreglar	hacer	poder	pintar	vender

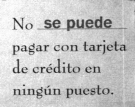

No **se puede**
pagar con tarjeta
de crédito en
ningún puesto.

Se arreglan
cremalleras y botones
de todo tipo de
prendas.

Se hacen
a mano ponchos
de lana
auténtica.

Se pintan
camisetas
y cuadros
con símbolos
indígenas.

Se venden
objetos artesanales
(pulseras, collares,
aretes...) y
bufandas de
alpaca.

27 Un anuncio

▶ **Piensa** en las cosas que tienes en tu habitación y en la ropa que tienes
en tu armario y que ya no usas. Elige algo para vender, algo para regalar
y algo para cambiar por otra cosa y escribe un anuncio para cada cosa.

Se vende cámara
fotográfica en
perfecto estado.

Se regalan unos
zapatos de tacón.

Se cambia una
mochila por
un bolso.

Nombre: ....   **Fecha:** ....

28   **Viaje de aniversario**

▶ Tus padres quieren celebrar su aniversario en una hacienda mexicana. **Lee** la información que has encontrado sobre esta hacienda y completa estas oraciones para hacer un resumen.

Hacienda El Descanso

Hacienda El Descanso es una hermosa hacienda de principios del siglo XVI con una clásica arquitectura colonial que hará viajar tu imaginación hasta la época de la conquista española.

Hacienda El Descanso tiene 182 habitaciones cómodas y elegantes con una decoración muy cuidada. Todas están equipadas con cafetera. Los baños disponen de secador de pelo.

En la Hacienda El Descanso cuidamos mucho nuestra cocina y usamos productos de muy buena calidad. En nuestros tres restaurantes se pueden comer las mejores especialidades de la región.

En Hacienda El Descanso el deporte siempre está presente. En un ambiente muy sano, nuestros huéspedes pueden elegir entre pasear a caballo o en carreta (*cart*), jugar al tenis, nadar, caminar por los alrededores mientras disfrutan de la naturaleza y respiran aire puro, o pueden disfrutar de un masaje en nuestro maravilloso *spa*.

Tenemos televisión por cable y conexión a Internet.
No se puede comer en las habitaciones y no se admiten animales domésticos.

---

1. La Hacienda El Descanso tiene **182 habitaciones muy cómodas y elegantes**.

2. En la hacienda se puede **pasear a caballo o en carreta, jugar al tenis, nadar o caminar por los alrededores**.

3. Se ofrece **una cocina muy cuidada y de muy buena calidad**.

4. Se prohíbe **comer en las habitaciones**.

5. No se permiten **animales domésticos**.

29 **Un regalo sorpresa**

▶ **Completa** con las palabras de las cajas.

nadie

brillante

envuelta

ningún

alguien

nada

mandado

demasiado

cuadrada

abierto

hecho

__Alguien__ me ha enviado un regalo sorpresa,
pero __nadie__ me debe un regalo. Viene sin tarjeta,
así que no tengo __ningún__ dato para adivinar quién
lo ha __mandado__. El regalo está en una caja
__cuadrada__ y está __envuelto__ en un papel azul
__brillante__. Todavía no la he __abierto__.
¿Qué será? Creo que no es un objeto __hecho__ de metal
porque no pesa __nada__. ¿Será...?
Soy __demasiado__ curiosa para esperar más. ¿Dónde
están las tijeras?

30 **En mi dormitorio**

▶ **Haz** un póster con lo que se puede y no se puede hacer en tu dormitorio. Haz algún dibujo para decorarlo.

¡En mi dormitorio mando yo!

Se puede...

dormir, hacer la tarea,
escuchar música, leer cómics,
navegar por Internet y hablar
por teléfono.

No se puede...

bailar, comer, gritar, tirar
basura o pelear conmigo.

Nombre: ....   **Fecha:** ....

TAREAS DOMÉSTICAS

barrer	to sweep
colgar la ropa	to hang the clothes
doblar la ropa	to fold the clothes
fregar	to scrub
hacer la cama	to make the bed
lavar los platos	to wash the dishes
limpiar el polvo	to dust
planchar	to iron
secar los platos	to dry the dishes
tender la ropa	to hang out the clothes

OFICIOS

el/la albañil	bricklayer, building worker
el/la carpintero(a)	carpenter
el/la electricista	electrician
el/la jardinero(a)	gardener
el/la pintor(a)	(house) painter
el/la plomero(a)	plumber
arreglar, reparar	to fix
pintar	to paint

Productos y objetos

el cubo	bucket
el detergente	laundry detergent
la escoba	broom
el lavavajillas	dishwashing liquid
el limpiacristales	window cleaner
el recogedor	dustpan
el tendedero	clothesline
el trapeador	mop
el trapo	cloth

> Hoy tengo que **planchar** y **lavar los platos.**

31 Gente especializada

▶ **Relaciona** cada profesional con lo que usa o lo que hace en su trabajo.

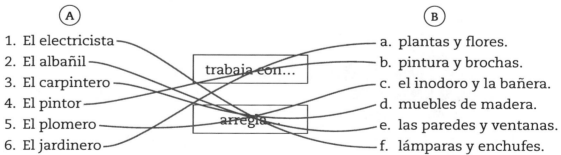

(A)

1. El electricista
2. El albañil
3. El carpintero
4. El pintor
5. El plomero
6. El jardinero

trabaja con...

arregla

(B)

a. plantas y flores.
b. pintura y brochas.
c. el inodoro y la bañera.
d. muebles de madera.
e. las paredes y ventanas.
f. lámparas y enchufes.

ANSWERS WILL VARY

▶ **Escribe.** ¿Cuándo fue la última vez que estuvo alguno de los profesionales anteriores en tu casa? ¿Qué hizo?

Hace dos semanas estuvo el plomero en mi casa para reparar el lavamanos.

32 Sopa de letras

▶ **Busca** las palabras que corresponden a estas fotografías.

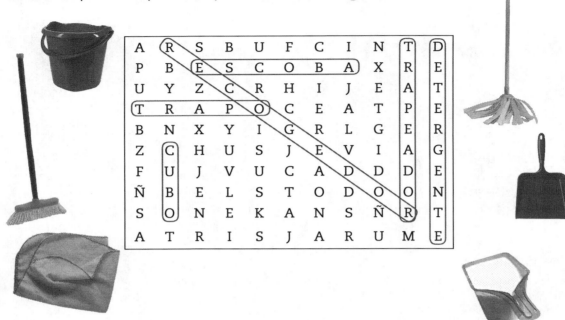

A	R	S	B	U	F	C	I	N	T	D
P	B	E	S	C	O	B	A	X	R	E
U	Y	Z	C	R	H	I	J	E	A	T
T	R	A	P	O	C	E	A	T	P	E
B	N	X	Y	I	G	R	L	G	E	R
Z	C	H	U	S	J	E	V	I	A	G
F	U	J	V	U	C	A	D	D	D	E
Ñ	B	E	L	S	T	O	D	O	O	N
S	O	N	E	K	A	N	S	Ñ	R	T
A	T	R	I	S	J	A	R	U	M	E

33 Esta casa es una ruina

▶ **Observa** el dibujo y escribe lo que hay que hacer para poner en orden este dormitorio.

Hay que barrer y fregar el piso.

También se debe doblar la ropa.

Se tiene que arreglar la lámpara.

Hay que reparar la pared

y pintarla.

34 Tus costumbres

▶ **Escribe** dos tareas domésticas que no te gusta hacer y dos tareas que no te importan.

1. No me gusta __lavar los platos ni planchar la ropa__.

2. No me importa __limpiar el polvo o hacer la cama__.

Nombre: ....   **Fecha:** ....

EL PLUSCUAMPERFECTO

This tense is used to describe an action that was completed before another action in the past.

Yo **había barrido** el suelo antes de fregarlo.

Formación del pluscuamperfecto

VERBO PLANCHAR. PLUSCUAMPERFECTO

yo	**había** planch**ado**	nosotros nosotras	**habíamos** planch**ado**
tú	**habías** planch**ado**	vosotros vosotras	**habíais** planch**ado**
usted él ella	**había** planch**ado**	ustedes ellos ellas	**habían** planch**ado**

Nunca **había pintado** una casa.

Ya *is used when an action was completed.*

Cuando ella llegó, él **ya** había lavado los platos.

Todavía *is used when an action has not happened or has not been completed.*

Cuando ella llegó, él no había lavado los platos **todavía**.

---

35 **¿Qué pasó primero?**

▶ **Subraya** en cada oración la primera acción que ocurrió.

____5____ Cuando llegué al cine, <u>ya se había</u> acabado la película.

____4____ Todavía <u>no había llegado</u> el electricista cuando volvió (*came back*) la luz.

____3____ Antes de abrir la puerta de la lavadora, <u>había llamado</u> al electricista.

____1____ Antes de ir al cine, <u>había decidido</u> lavar la ropa.

____2____ Ya <u>había metido</u> la ropa en la lavadora cuando se fue la luz (*the lights went out*).

▶ **Numera** las oraciones anteriores para hacer una historia lógica.

36 Una secuencia clara

▶ **Lee** y ordena lo que había hecho Adriana antes de que llegara Juan.

> Cuando llegaste, yo ya había lavado y secado los platos del desayuno. Y, por supuesto, antes de desayunar, me había duchado y me había puesto la ropa que había planchado el día anterior. Menos mal que cuando me dormí anoche ya había puesto el despertador.

1. _Planchar la ropa._
2. **Poner el despertador.**
3. **Darse una ducha.**
4. **Ponerse la ropa.**
5. **Desayunar.**
6. **Lavar los platos.**
7. **Secar los platos.**
8. _Llegar Juan._

37 ¿Qué había pasado?

▶ **Transforma** estas oraciones usando el pluscuamperfecto.

1. Comió demasiado chocolate y se puso enfermo.

   Se puso enfermo porque había comido demasiado chocolate.

2. Yo me fui al gimnasio y después mi madre me llamó por teléfono.

   Cuando mi madre me llamó, **ya me había ido al gimnasio**.

3. Estudió mucho y por eso aprobó el examen.

   Aprobó el examen **porque había estudiado mucho**.

4. Pedro vio la película el sábado, así que no fue al cine el domingo.

   Pedro no fue al cine **porque había visto la película el sábado**.

38 La botella tuvo la culpa

▶ **Completa** la conversación. Usa el pluscuamperfecto.

> **La botella de jugo**
>
> —Tu ropa estaba limpia esta mañana, Ana. ¿Por qué la pusiste en la lavadora?
>
> —Porque el tendedero (caerse) _se había caído_.
>
> —¿Caído? ¿Por qué (caerse) _se había caído_?
>
> —Porque el jardinero lo (cortar) _había cortado_.
>
> —Pero ¿por qué la (tender, tú) _habías tendido_?
>
> —Porque (mojarse) _se había mojado_ con el agua del trapeador.
>
> —¿Por qué había agua en el cubo del trapeador?
>
> —Porque Pedro (fregar) _había fregado_ el suelo porque la botella de jugo (manchar) _había manchado_ el suelo.

Nombre: ....   **Fecha:** ....

LOS DEMOSTRATIVOS

Distance	singular			plural	
	masculino	femenino	neutro	masculino	femenino
Near	**este**	**esta**	**esto**	**estos**	**estas**
At a distance	**ese**	**esa**	**eso**	**esos**	**esas**
Far away	**aquel**	**aquella**	**aquello**	**aquellos**	**aquellas**

—¿Qué puerta hay que arreglar, **esa** o **aquella**?
—**Aquella**.

—¿Qué hago con **eso**?
—No sé. Ponlo con **aquello**.

Hay que planchar **esta** camisa.

---

39   **¿A qué te refieres?**

▶ **Rodea** con un círculo los objetos que quiere Mario.

Hola, buenos días. Quería comprar algunos productos de limpieza. Necesito un cubo, una escoba y unos trapos.

Pues... quiero este, esos de ahí y aquella.

40 **Este es...**

▶ **Observa** el dibujo y completa el diálogo con los demostrativos adecuados.

Una fiesta en la escuela

ALFONSO: Mira, Miguel, _esta_ es mi compañera, Raquel. Raquel,

este es Luis, un amigo mío. Ha venido para ayudarnos.

RAQUEL: Hola, Miguel. Gracias por ayudarnos.

MIGUEL: De nada.

ALFONSO: Miguel, te voy a decir quién es cada uno para que los conozcas.

Mira, _esos_ chicos que están barriendo ahí son Benjamín y Diego,

y _esa_ chica, la que tiene el cubo en la mano, se llama Luisa.

Aquellas chicas que están fregando allí al fondo son Mar y Bea.

MIGUEL: ¿Y quién es _aquel_ hombre?

ALFONSO: Es el electricista. Es que tenía que arreglar las luces.

MIGUEL: ¿Y qué es _eso_ que está ahí?

ALFONSO: ¿El qué?

MIGUEL: _Eso_ que está tapado con una sábana.

ALFONSO: ¡Ah, _eso_ es una estatua!

MIGUEL: ¿Y qué hay en _aquellas_ cajas?

ALFONSO: Los adornos para la fiesta.

Español Santillana. Practice Workbook. Unidad 3

Nombre: _____ Fecha: _____

41 **Reparto de tareas**

▶ **Piensa** en el reparto de tareas domésticas que se hace en tu casa y completa esta tabla.

	¿QUIÉN LO HACE?	¿LO HACE SIEMPRE ESA PERSONA?	¿CON QUÉ FRECUENCIA?	¿LE GUSTA HACERLO?
barrer	hermano	no	cada dos días	sí
fregar	yo	sí	cada semana	no
cocinar	madre	sí	diario	sí
tender la ropa	hermana	no	cada semana	sí
doblar la ropa	padre	no	cada semana	no
planchar	hermana	no	cada semana	sí
lavar los platos o cargar el lavaplatos	padre	sí	diario	sí
secar los platos o descargar el lavaplatos	yo	sí	diario	sí
limpiar el polvo	madre	no	cada dos días	no
hacer la cama	hermano	sí	diario	no

▶ Ahora, **contesta** estas preguntas.

1. ¿Quién hace más tareas domésticas en tu casa? ¿Por qué?

   Todos tenemos que hacer dos tareas.

2. ¿Te parece que el reparto de tareas es justo? ¿Por qué?

   Sí, porque todos tenemos el mismo número de tareas.

3. ¿Crees que se puede mejorar el reparto de tareas? ¿Cómo?

   Sí, rotando las tareas entre todos.

42 **Supersticiones**

▶ **Completa** estas supersticiones con las palabras del recuadro.

| suelo | trapo | barres | hace | barrer | fregar | polvo |

1
Barrer el __suelo__ de noche trae mala suerte porque por la noche barren las brujas.

4
Si dejas caer un __trapo__ de cocina al suelo, nadie vendrá a tu casa.

2
Si se __hace__ la cama entre dos personas, esas dos personas se van a pelear después.

5
Si __barres__ los pies a alguien que está soltero, no se casará nunca.

3
El 31 de diciembre, si quieres tener buena suerte al año siguiente, debes __barrer__ y __fregar__ los suelos y limpiar el __polvo__ de todos los rincones.

▶ ¿Conoces alguna otra superstición? **Escríbela.**

ANSWERS WILL VARY

__Nunca se debe barrer una casa nueva con una escoba vieja para no__

__llevar las cosas malas.__

43 **¿Cómo te fue ayer?**

ANSWERS WILL VARY

▶ **Completa** las oraciones sobre tu día. Usa el pluscuamperfecto.

1. A las 12 de la mañana, ya había __fregado el suelo__

2. Antes de comer, todavía no __me había duchado__

3. A las 6 de la tarde, ya __había lavado los platos del almuerzo__

4. Cuando me fui a la cama, todavía no __había planchado la ropa__

Nombre: _____ **Fecha:** _____

44 ## Las fajas calendario de Perú

▶ **Lee** la información sobre las fajas calendario *(calendar belts)* y decide si las oraciones son ciertas (C) o falsas (F).

Los textiles taquileños

Nosotros, los habitantes de la isla de Taquile, en Perú, somos artesanos. Hombres, mujeres y niños nos dedicamos al tejido. En cada prenda está simbolizada nuestra vida, expresamos las costumbres de nuestro pueblo y nuestras creencias. En el año 2005 la UNESCO declaró nuestros textiles como Obra Maestra del Patrimonio Oral e Inmaterial de la Humanidad.

El traje tradicional permite conocer el estado civil del taquileño; por ejemplo, el gorro rojo es usado por hombres casados y el gorro rojo y blanco, por jóvenes solteros. Existen también otras prendas importantes, como la faja calendario agrícola.

La faja calendario es una prenda que lleva el hombre. Está hecha de lana de alpaca y los colores que se usan son el rojo, el negro, el gris y el blanco. La faja está dividida en doce cuadros y en cada cuadro se borda *(embroider)* un evento importante en la familia. Esta prenda es el diario de la familia y nadie más que la familia la puede entender. A veces también representa la vida agrícola. Por eso también se ven plantas y flores, pájaros y peces.

1. Las fajas pueden tener varios tipos de dibujos.   Ⓒ F
2. La faja es una prenda de trabajo.   C Ⓕ
3. Ninguna faja es idéntica a otra: cada una es única.   Ⓒ F
4. Las fajas, como los cinturones, están hechas de cuero.   C Ⓕ
5. Es difícil de entender el significado de los dibujos.   Ⓒ F

▶ **Corrige** las afirmaciones falsas.

1. La faja es el diario de la familia. _____

2. Las fajas son de lana de alpaca. _____

45 ¿Qué había hecho?

▶ Adriana ha perdido su monedero y no sabe dónde. **Escribe** lo que había hecho antes de darse cuenta.

3 comprarme unos zapatos de tacón para la boda

2 cambiar la blusa y probarme otra talla

4 ir a mi clase de flamenco

5 tomar un sándwich y un refresco

1 comprar botones y cremallera

6 subir al autobús y dormirme

Antes de llegar a casa, había ido al centro comercial. En una tienda había comprado algunos botones y una cremallera. **También había cambiado la blusa y se había probado otra talla. En la zapatería se había comprado unos zapatos de tacón. Luego había ido a su clase de flamenco. Después, había ido a tomar un sándwich y un refresco. Por último, se había subido al autobús y se había dormido.**

46 ¿Qué has hecho?

▶ **Escribe.** ¿Qué es lo más especial que han hecho estas personas este último año?

1. En este año yo __he celebrado mi cumpleaños en la playa__ .

2. Mi madre __ha viajado por Europa__ .

3. Mi padre __ha comprado un coche nuevo__ .

4. Mi mejor amigo(a) __ha ido de vacaciones a Egipto__ .

5. Mi profesor(a) de Español __se ha casado__ .

Español Santillana. Practice Workbook. Unidad 3

Nombre: .... **Fecha:** ....

47 **El escudo de la República del Ecuador**

▶ **Lee** el texto sobre el escudo de Ecuador y escribe cada número en el lugar correspondiente de la imagen.

El escudo de la República del Ecuador

El escudo nacional de Ecuador fue adoptado oficialmente por el Congreso el 31 de octubre de 1900.

El escudo tiene forma ovalada. Entre otros elementos destaca en la parte superior el cóndor (1), ave sagrada en la cultura andina. A cada lado hay dos banderas nacionales. En medio de ellas hay una rama de laurel (2), que representa la victoria y la gloria, y una rama de palma (3), símbolo de los mártires caídos en la lucha por la libertad.

En el interior del escudo se puede ver el sol con cuatro signos del zodíaco (Aries, Tauro, Géminis y Cáncer) y el Chimborazo (4), una de las montañas más altas de los Andes. De las nieves del Chimborazo nace el río Guayas (5), que baja por las tierras de la costa. Este río representa la hermandad de todos los ecuatorianos.

En el centro se ve un barco de vapor (6) con los colores de la bandera nacional. Este barco simboliza el primer barco construido en la costa del Pacífico en 1841.

---

48 Símbolos estatales

▶ **Escribe** una descripción del escudo de tu estado o tu país y explica el significado de los elementos que lo componen.

Pega aquí un dibujo del escudo.	El escudo de Nicaragua está formado por un triángulo equilátero que representa la igualdad, y cinco volcanes que representan la unidad. En la parte superior hay un arco iris que representa la paz.

49 Información cultural

▶ **Contesta**.

1 ¿Qué colores lleva la Wiphala?

Lleva los siete colores del arco iris.

2 ¿Qué son las haciendas coloniales?

Son fincas agrícolas de la época colonial.

3 ¿Qué culturas han tenido influencia en el flamenco?

Las culturas romaní (gitana), árabe y judía.

4 ¿Qué hay en el centro de las ciudades coloniales?

En el centro está la plaza mayor.

Nombre: ....   **Fecha:** ....

Escribe la palabra que describe cada dibujo. Luego, clasifica las palabras en cognados y no cognados.

DESAFÍO 1

el botón   la talla   el suéter   el bolsillo

DESAFÍO 2

la alfombra   **el poncho de** lana de alpaca   Este vestido es muy **elegante**.   Está hecho de **cerámica**.

DESAFÍO 3

el plomero   el electricista   el carpintero   el albañil

A. Cognados		B. No Cognados	
Español	Inglés	Español	Inglés
boton	button	talla	size
sueter	sweater	bolsillo	pocket
poncho	poncho	alfombra	rug
elegante	elegant	albanil	bricklayer
ceramica	ceramics		
plomero	plumber		
electricista	electrician		
carpintero	carpenter		

Cultura

Contesta las adivinanzas que te hacen estas personas. Por cada respuesta correcta recibes una prenda de ropa. Intenta acumular ropa para un viaje de una semana.

1. Es uno de los mercados de artesanía más grandes y famosos de todo Ecuador.

   Mercado de Otavalo.

2. Se utilizan en fiestas y celebraciones especiales, sobre todo en las zonas rurales.

   Los trajes regionales.

3. Está formada por 49 cuadrados y los 7 colores del arco iris.

   La wiphala.

4. Oí esa música por primera vez en España. Tiene influencias gitanas, árabes y judías.

   El flamenco.

5. Pon una detrás de la puerta y no recibirás visitas inoportunas.

   La escoba.

6. En este puesto hay tantas plantas y flores que me recuerda a **los patios cordobeses**.

Nombre: _____ **Fecha:** _____

1 Alimentos

▶ **Descubre** el intruso de cada grupo.

Condimentos	Verduras y hortalizas	Frutas
mayonesa	espinacas	pera
cebolla	lechuga	ajo
vinagre	mostaza	melón
aceite	cebolla	sandía

Condimentos: __cebolla_____

Verduras y hortalizas: __mostaza_____

Frutas: __ajo_____

2 El menú del día

▶ **Completa** este menú de un restaurante con las palabras del recuadro.

asada	amargo	picante	cocido	fritos	plancha	empanado

Nuestros menús de almuerzo

Primeros

Crema de espinacas

Ensalada con huevo __cocido____

Melón con jamón

Segundos

Atún a la __plancha____

Pollo __empanado__ con ensalada

Carne __asada____ de res con papas

Huevos __fritos____ con salsa de tomate

Comida __picante__

Postres

Torta de chocolate __amargo____

Helados de varios sabores

3 ¿Cómo se hace?

▶ **Escribe** el verbo correspondiente.

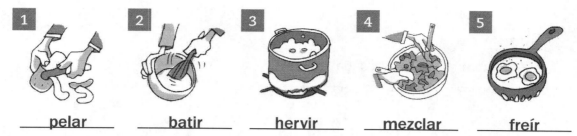

1	2	3	4	5
pelar	batir	hervir	mezclar	freír

4 Higiene personal

ANSWERS WILL VARY

▶ **Contesta**.

1. ¿Te gusta ducharte o bañarte? __Prefiero ducharme.__

2. ¿Qué usas para ducharte o bañarte, gel o jabón? __Uso jabón.__

3. ¿Cuántas veces al día te cepillas los dientes? __Tres veces al día.__

4. ¿De qué sabor te gusta la pasta de dientes? __De sabor a menta.__

5. ¿Usas un champú especial? __No, no uso champú especial.__

6. ¿Cómo te secas el pelo, con una toalla o con un secador? __Con secador.__

7. ¿Te pones desodorante todos los días? __Sí, me lo pongo diariamente.__

8. ¿Qué usas para peinarte, un cepillo o un peine? __Uso un cepillo.__

EXPRESIONES ÚTILES

5 Soy muy bueno en...

ANSWERS WILL VARY

▶ **Completa** cada oración para describir tus habilidades.

1. Soy muy bueno(a) en __Música__ ,

   pero soy muy malo(a) en __Matemáticas__ .

2. Soy un desastre para __cocinar__

   _____ .

3. Se me dan muy bien __los deportes__ ,

   pero se me dan muy mal __las adivinanzas__ .

4. Soy un genio para __las computadoras__

   _____ .

Nombre: _____ **Fecha:** _____

ALIMENTACIÓN

el aceite de oliva — olive oil
el agua mineral — mineral water
las especias — spices
las infusiones — infusions

la carne blanca — white meat
la carne roja — red meat
la comida basura — junk food
los frutos secos — dried fruits and nuts

nutritivo(a) — nutritional
vegetariano(a) — vegetarian

Preparación de los alimentos
crudo(a) — raw
poco hecho(a) — underdone
al punto — just right
muy hecho(a) — well done
jugoso(a) — juicy
sabroso(a) — tasty
ligero(a) — light
grasoso(a) — greasy

Nutrición
las calorías — calories
la fibra — fiber
la grasa — fat
el hierro — iron
las proteínas — proteins
las vitaminas — vitamins

Acciones
aumentar — to increase
digerir — to digest
estar a dieta — to be on a diet
evitar — to avoid
reducir — to reduce
sustituir — to substitute

El **aceite de oliva** es un alimento muy saludable.

6 La alimentación

▶ **Marca** las tres afirmaciones erróneas.

Hay que consumir carne roja todos los días porque tiene mucho hierro. ✓

Es bueno consumir diariamente hortalizas y verduras. Tienen mucha fibra, vitaminas y minerales. ☐

No es bueno comer frutos secos porque tienen muchas calorías. ✓

Cuando estamos a dieta, hay que evitar comer grasas; por eso están prohibidos el aceite de oliva y la comida basura. ✓

7 Un foro sobre alimentación

▶ **Lee** la intervención de este foro y completa la respuesta con las palabras del recuadro.

infusiones	reduce	especias	sustituye	aumenta	evita	sustituir

SOBRE LA COMIDA SANA
MENSAJE
Publicado: 28 junio, 6:48
Hola. Últimamente tengo muchos problemas de salud y no sé si están relacionados con mi alimentación. Les cuento: como mucha carne, roja y blanca, porque me gusta mucho y tiene mucho hierro. Como una pieza de fruta al día, pescado dos veces por semana, y verduras y hortalizas tres veces por semana. Las cuezo con bastante sal porque no me gustan mucho. Como con jugos, que son más sanos que los refrescos.
Publicado: 30 junio, 12:18
Hola. Claro que tus problemas de salud están relacionados con tu alimentación. Tienes que hacer algunos cambios en tu dieta. Por ejemplo, _reduce_ el consumo de carne roja y _aumenta_ el de pescado, verduras y hortalizas. _Sustituye_ la sal por _especias_. _Evita_ los jugos. Tienen mucho azúcar. Es mejor _sustituir_ los por agua o _infusiones_.

8 ¿Cómo te gusta?

▶ **Relaciona** para formar oraciones lógicas.

(A)

1. A mí me gusta la carne poco cocinada,
2. A mí me gusta la comida con muchas especias,
3. A mí me gusta cenar verduras
4. A mí me gusta que la carne esté ni muy hecha ni muy cruda.
5. A mí no me gusta cocinar las verduras,

(B)

a. porque son fáciles de digerir.
b. poco hecha.
c. Me gusta al punto.
d. prefiero comerlas crudas.
e. la comida sabrosa.

9 Consejos nutritivos

▶ **Decide** si estas afirmaciones son ciertas (C) o falsas (F).

1. Reduce el consumo de hamburguesas o pizzas por su alto contenido en hierro. C (F)
2. Hay que comer varias piezas de fruta al día porque son ricas en vitaminas y fibra. (C) F

Nombre: _____   **Fecha:** _____

LOS MANDATOS
Los mandatos afirmativos. La forma *nosotros(as)*

COCINAR	COMER	CONSUMIR	
cocinemos	comamos	consumamos	nosotros(as)

¡No comas tantos dulces!

LOS MANDATOS NEGATIVOS
Mandatos negativos regulares

COCINAR	COMER	CONSUMIR	
no cocines	no comas	no consumas	tú
no cocine	no coma	no consuma	usted
no cocinemos	no comamos	no consumamos	nosotros(as)
no cocinéis	no comáis	no consumáis	vosotros(as)
no cocinen	no coman	no consuman	ustedes

Mandatos negativos irregulares

DAR	ESTAR	SER	IR	
no des	no estés	no seas	no vayas	tú
no dé	no esté	no sea	no vaya	usted
no demos	no estemos	no seamos	no vayamos	nosotros(as)
no deis	no estéis	no seáis	no vayáis	vosotros(as)
no den	no estén	no sean	no vayan	ustedes

10 **¡Llevemos una vida sana!**

▶ **Completa** los mandatos con la forma *nosotros(as)* de los verbos entre paréntesis.

1 ¡(cocinar) **Cocinemos** con aceite de oliva!

3 ¡(consumir) **Consumamos** frutas y verduras todos los días!

4 ¡(hacer) **Hagamos** más deporte!

2 ¡(comer) **Comamos** más sano!

5 ¡(ser) **Seamos** más optimistas!

11 **Instrucciones familiares**

▶ **Relaciona** para formar mandatos lógicos para un niño.

Ⓐ   Ⓑ

1. No des   a. en el jardín sin suéter.
2. No vayas   b. tu comida al perro.
3. No seas   c. las tareas en la sala.
4. No estés   d. antipático con la gente.
5. No hagas   e. tarde a la cama.

12 **¡No corras!**

ANSWERS WILL VARY

▶ **Escribe** mandatos para que estos niños no hagan estas cosas.

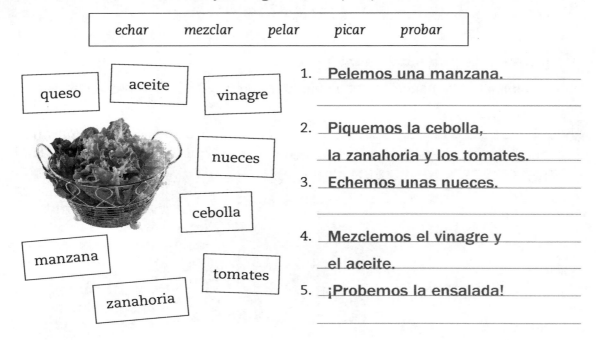

1 No suban al árbol.

2 No den comida a los animales.

3 No coman tantos dulces.

13 **Clase de cocina**

ANSWERS WILL VARY

▶ **Escribe** cinco mandatos en la forma *nosotros(as)* para mejorar esta ensalada. Usa los verbos del recuadro y los ingredientes que quieras.

| echar | mezclar | pelar | picar | probar |

queso   aceite   vinagre   nueces   cebolla   manzana   tomates   zanahoria

1. Pelemos una manzana.

2. Piquemos la cebolla, la zanahoria y los tomates.

3. Echemos unas nueces.

4. Mezclemos el vinagre y el aceite.

5. ¡Probemos la ensalada!

Nombre: ....   **Fecha:** ....

LOS VERBOS DE CAMBIO

ponerse + adjective *(an involuntary physical or emotional change)*	Ana **se pone** nerviosa cuando ve chocolate.
quedarse + adjective *(a physical or emotional change that is often lasting and a consequence of another occurrence)*	Estuvo a dieta un año y **se quedó** delgadísimo.
volverse + adjective **volverse** + noun *(a lasting change that usually happens suddenly)*	**Se volvió** loca al oír la noticia. El restaurante **se volvió** un buen negocio.
hacerse + adjective *(a gradual change that is the result of the passage of time)*	Mi hijo **se hizo** mayor muy rápido.
hacerse + noun *(a change in thinking, social status or profession)*	Juan quiere **hacerse** cocinero.
convertirse en + noun *(a permanent and dramatic change)*	Mi hermana **se convirtió** en vegetariana.

Yo **me pongo muy nervioso** en los exámenes.

14 Cambios en los famosos

▶ **Relaciona** estas oraciones con su significado.

Ⓐ

1. El chef José Mendín se puso muy contento cuando el *Miami Herald* le dio tres estrellas.

2. Penélope Cruz se convirtió en la primera actriz española en conseguir un Óscar.

3. Brad Pitt se hizo budista después de hacer la película *Siete años en el Tíbet*.

4. Beethoven se quedó sordo cuando era joven.

5. Antonio Banderas se hizo famoso cuando actuó en *Los reyes del mambo*.

6. El restaurante de Ferrán Adriá se volvió un negocio muy lucrativo.

Ⓑ

a. a permanent and dramatic change

b. a gradual change that is the result of the passage of time

c. an involuntary physical or emotional change

d. a lasting change that usually happens suddenly

e. a physical change that is often lasting and a consequence of another occurrence

f. a change in thinking, social status or profession

15 Consejos de cocina

▶ Relaciona.

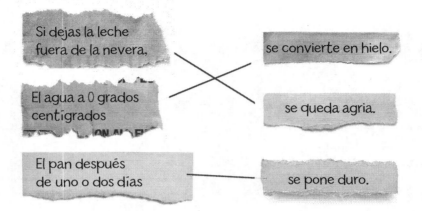

Si dejas la leche fuera de la nevera, ——— se queda agria.

El agua a 0 grados centígrados ——— se convierte en hielo.

El pan después de uno o dos días ——— se pone duro.

16 Cambios

▶ **Completa** estas oraciones de la forma más lógica.

1. A Cristina no le gusta nada hablar en clase y cuando tiene que hacerlo se pone muy __nerviosa__.

2. A Fran no le gustó nada la película de ayer y se quedó __dormido__.

3. Las chicas se vuelven __locas__ en los conciertos de Justin Bieber.

4. Me pongo muy __contenta__ en Navidad porque me gusta mucho.

5. Ana dejó de comer carne y pescado y se convirtió en __vegetariana__.

6. El último disco de Shakira se volvió un __éxito__ de ventas.

17 Cocineros famosos

▶ **Completa** estas oraciones sobre Aarón Sánchez con los verbos de las cajas.

| se volvieron | se hizo | se ha convertido | se ha vuelto |

1. __Se ha convertido__ en uno de los mejores chefs latinos junto a José Mendín, José Garcés y Johnny Hernández.

2. A los 17 años se inscribió en el programa de Artes Culinarias de Johnson and Wales University de Providence, Rhode Island, y __se hizo__ cocinero profesional.

3. Sus restaurantes en Nueva York __se volvieron__ un éxito.

4. Este cocinero __se ha vuelto__ imprescindible en cualquier reunión internacional.

Nombre: _____   Fecha: _____

18 **Un programa de cocina**

▶ **Completa** con las palabras del recuadro.

oliva	nutricional	roja	especias	calorías	sabroso	vieja

Buenos días. ¿Qué tal están? En el programa de hoy vamos a preparar un plato muy __sabroso__ y muy fácil de hacer: la ropa __vieja__.

Necesitamos un kilo de carne __roja__ (puede ser de res), cebolla y ajo, un pimiento rojo y uno verde, aceitunas, __especias__, salsa de tomate, aceite de __oliva__ y caldo de carne.

¿Quieren saber la información __nutricional__ de este plato? Tomen nota: una porción de unos 120 gramos tiene unas 400 __calorías__, 30 gramos de proteínas y unos 25 gramos de grasa.

▶ Ahora, **completa** con la forma del imperativo de los verbos entre paréntesis.

PRESENTADORA: A ver, Santiago, ¿qué hacemos primero?

COCINERO: Primero, (hervir, nosotros) __hirvamos__ la carne con agua en una olla hasta que se ponga blanda. No (cocinar, ustedes) __cocinen__ la carne más de dos horas porque se quedará muy dura.

PRESENTADORA: Muy bien. ¿Y ahora?

COCINERO: Mientras la carne está en la olla, (picar, nosotros) __piquemos__ los pimientos, la cebolla y los ajos.

PRESENTADORA: ¿Y todo esto se fríe?

COCINERO: Sí, pero no (añadir, tú) __añadas__ todavía el ajo. Es mejor que (dejar, nosotros) __dejemos__ que se fría la cebolla con los pimientos y después añadir los ajos y las especias. Cuando esté todo bien sofrito, (añadir, nosotros) __añadamos__ la salsa de tomate, las aceitunas y la taza de caldo. (Echar, nosotros) __Echemos__ toda esta mezcla a la carne y (dejar, nosotros) __dejemos__ a fuego mediano hasta que se evapore el caldo.

19 Muchos cambios

▶ **Escribe** oraciones para describir los cambios que se han producido en la vida de Matilda. Utiliza verbos de cambio.

El año pasado me puse a régimen y perdí 10 kilos. Ahora, peso 55.

Hace dos meses dejé de comer carne.

El año pasado estudié mucho para graduarme con honores.

1. **Matilda se quedó delgada.**

2. **Matilda se hizo vegetariana.**

3. **Matilda se volvió estudiosa.**

20 ¿Qué me aconsejas?

▶ **Escribe** sugerencias para estas personas.

Estoy muy cansada y tengo el hierro muy bajo. ¿Qué hago?

Come más carne y legumbres.

Aumenta el consumo de verdura y fruta, y reduce el de carne.

Suelo comer carne y tomar refrescos todos los días. La fruta y la verdura no me gustan mucho, así que no suelo comerlas.

Me estoy poniendo muy gordo. En mi trabajo no tengo tiempo para comer y como mucha comida basura. También bebo muchos jugos porque no me gusta el agua.

Haz más ejercicio y come menos grasas.

Nombre: _____   **Fecha:** _____

HÁBITOS SALUDABLES

aumentar de peso	to *gain weight*
bajar de peso	to *lose weight*
cuidarse	to *take care of oneself*
darse un masaje	to *get a massage*
descansar	to *rest*
entrenar	to *train*
estirar los músculos	to *stretch one's muscles*
evitar calambres	to *avoid cramps*
hacer ejercicios aeróbicos	to *do aerobics*
hacer ejercicios de relajación	to *do relaxation exercises*
practicar pilates/yoga	to *practice pilates/yoga*
relajarse	to *relax*
respirar	to *breathe*
sentirse estresado(a)	to *feel stressed*
el gimnasio	*gym*
el/la monitor(a)	*(sports) instructor*

OBJETOS Y PRODUCTOS DE HIGIENE

el albornoz	*bathrobe*
el cortaúñas	*nail clippers*
la crema solar	*sunscreen*
la esponja	*sponge*
la espuma de afeitar	*shaving foam*
el gorro de ducha	*shower cap*
el hilo dental	*dental floss*
la maquinilla de afeitar	*safety razor*

> Me gusta **practicar yoga** cuando **me siento estresado.**

---

21 En el gimnasio

▶ **Completa** este texto con palabras del cuadro de vocabulario.

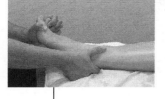

Un gimnasio ideal

En Gym podrás hacer ejercicios __aeróbicos__ que son muy buenos para bajar de peso. Si te sientes estresado y quieres relajarte, puedes practicar __yoga__ o asistir a la clase especial Desestrés, donde harás ejercicios para __estirar__ los músculos y ejercicios de __relajación__. Y si después de esta clase sigues estresado, puedes darte un __masaje__.

Si te estás preparando para una carrera y quieres __entrenar__ en grupo, pregunta en recepción.

22 Consejos prácticos

▶ **Relaciona** los elementos de cada columna para hacer oraciones lógicas.

(A)

1. Respira
2. Estira los músculos
3. Para no estar estresado
4. Practicar yoga
5. Entrena todos los días si

(B)

a. antes de hacer ejercicio.
b. profundamente mientras haces ejercicio.
c. vas a participar en una carrera.
d. practica pilates.
e. ayuda a controlar el cuerpo y la mente.

23 Los calambres musculares

▶ **Completa** estos consejos con las palabras del recuadro.

aeróbicos	relájate	pilates	relajación
respira	yoga	estirar	masaje

Consejos para evitar calambres musculares

- Haz algunos ejercicios de ___relajación___. Practicar ___yoga___
  o ___pilates___ te puede ayudar.

- Al levantarnos por la mañana, hay que ___estirar___ los músculos.

- Si te da el calambre, ___relájate___, ___respira___ profundamente
  y date un ___masaje___ en la zona afectada.

- Estar mucho tiempo sentado no ayuda. Intenta hacer ejercicios
  ___aeróbicos___ 20 minutos al día.

24 Productos de higiene

▶ **Busca** en la sopa de letras los productos que necesitan estas personas.

1. Cuando salgo de la ducha, siempre tengo frío.
   Necesito un __albornoz__.

2. Quiero quitarme la barba. Voy a comprar
   __espuma__ de afeitar.

3. No quiero que me salgan pecas en verano.
   Voy a ponerme una __crema__ solar.

4. El dentista me dijo que tenía que limpiarme
   los dientes con __hilo__ dental.

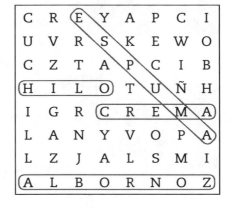

Nombre: .... **Fecha:** ....

PARA Y POR

Usos de *para*

purpose / "in order to"	Voy a nadar **para** relajarme.
"directed to" / "for the benefit of"	Esta crema solar sirve **para** pieles sensibles.
destination, direction	Vamos **para** el gimnasio. ¿Quieres venir?
deadline, future date	El proyecto es **para** el martes.
comparison, "considering"	**Para** tener 70 años, es un excelente atleta.
opinion	**Para** mí, esta clase es la mejor.

Usos de *por*

reason, motive, "because of"	Canceló la clase **por** enfermedad.
"in exchange for"	Aquí dan masajes **por** 20 dólares.
ratio, proportion, "per"	Entreno cinco veces **por** semana.
movement: through, "via", along, by	Camino todos los días **por** la playa.
general location	No veo mi toalla. Tiene que estar **por** aquí.
general time / part of the day	No tenemos clase los viernes **por** la tarde.
mode of communication or transportation	Yo lo llamé **por** teléfono, pero me contestó **por** correo electrónico.
"on behalf of"	Ana estaba enferma y di la clase **por** ella.
object of an errand	No tengo mis zapatillas. Voy **por** ellas.
agent of an action	La sala de máquinas fue donada **por** Pedro.

> Hago pilates **por** las mañanas **para** ir al trabajo relajada.

25 *Para y por*

▶ **Relaciona** para formar oraciones lógicas.

1. Va a asistir a la universidad
2. Yo creo que esta clase es muy aburrida
3. Sustituye los jugos
4. Se recomienda consumir fruta y verdura
5. Corramos
6. Se quedó muy delgado

PARA

POR

a. el parque. Es más sano.
b. estar a dieta un año.
c. niños pequeños.
d. agua o infusiones.
e. hacerse médica.
f. su gran contenido en vitaminas y minerales.

26 La telenovela

▶ **Subraya** la opción correcta.

Yo _para_/ por hacer algo de ejercicio doy un paseo de una hora para/ _por_ el parque cinco veces para/ _por_ semana. Para/ _Por_ la mañana salgo de casa muy temprano a dar mi paseo, después voy a casa y mientras desayuno, veo la telenovela _Un día sin ti._ _Para_/ Por mí es la mejor telenovela del mundo, es de esas novelas _para_/ por mujeres románticas como yo. No sé cuánto dinero daría para/ _por_ conocer a los protagonistas, Darío José y Ángela María. Hoy no la pude ver porque mi amiga Rosa estaba enferma y tuve que ir para/ _por_ ella a hacer algunas compras, pero Rosa me contó que hoy Ángela María se casó con el padre de Darío José, que, _para_/ por tener 70 años, está muy bien, pero _para_/ por mi amiga Ángela María no se casó para/ _por_ amor, sino para/ por estar más cerca de Darío José.

27 Tablón de anuncios

▶ **Completa** cada anuncio con _por_ o _para_.

Abierto el plazo para apuntarse a las clases de relajación. Último día **para** inscribirse el 13 de octubre.

Excursión en bici **por** el río.

Esta excursión es **para** mayores de 14 años.

Salimos el domingo **por** la mañana e iremos **por** la carretera hasta llegar al parque.

Se dan clases de pilates **por** las tardes. 20 dólares **por** noventa minutos.

Vendo bicicleta estática. Preguntar por **Ana.** Descuento de un 10 por **ciento** si se paga al contado.

La piscina estará hoy cerrada **por** obras en los baños. Disculpen las molestias.

Nombre: ....   **Fecha:** ....

HACER VALORACIONES

Expresiones para hacer valoraciones

Es aconsejable...	It is advisable...	Es necesario...	It is necessary...
Es conveniente...		Es preciso...	
Es importante...	It is important...	Es mejor...	It is better...
Es bueno...	It is good...	Es sorprendente...	It is surprising...

Use me parece + bien / mal / fatal / horrible / maravilloso / extraordinario... *to express judgment.*

El infinitivo y el subjuntivo con expresiones de valoración

- *Use the infinitive to make value judgments in general.*

   Es aconsejable hacer ejercicio todos los días.

- *Use the subjunctive to make value judgments regarding one or more specific people.*

   Es aconsejable que tú hagas ejercicio todos los días.

Es importante hacer una dieta equilibrada.

28 **¿Qué te parece?**

▶ **Relaciona** para hacer valoraciones correctas.

1	Es importante que todos	a	estén a dieta sin el control de un médico.
2	No es bueno	b	haga pilates.
3	Es aconsejable que nosotros	c	estiremos bien los músculos.
4	Me parece bien que María	d	entrenen antes de la carrera.
5	Me parece fatal que los chicos	e	se dé un masaje.
6	Señor López, es conveniente que	f	comer comida basura.

29 Instrucciones del monitor

▶ **Completa** estas valoraciones poniendo el verbo entre paréntesis en infinitivo
o en la forma correcta del subjuntivo de *ustedes*.

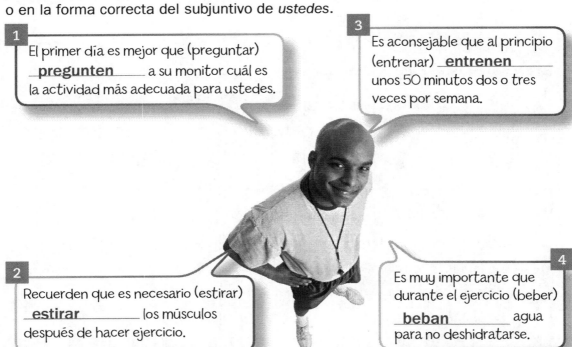

1 El primer día es mejor que (preguntar) __**pregunten**__ a su monitor cuál es la actividad más adecuada para ustedes.

3 Es aconsejable que al principio (entrenar) __**entrenen**__ unos 50 minutos dos o tres veces por semana.

2 Recuerden que es necesario (estirar) __**estirar**__ los músculos después de hacer ejercicio.

4 Es muy importante que durante el ejercicio (beber) __**beban**__ agua para no deshidratarse.

30 Es mejor que...

▶ **Escribe** cada mandato usando expresiones para valorar.

1 Habla primero con el monitor de natación.

3 No comas esas papas grasosas.

5 ¡Cuidado! No hagan ustedes ese ejercicio solos.

2 Un consejo: hagan ejercicios de relajación antes de un examen.

4 Te conviene no estar estresada.

6 Respiremos despacio.

1. ___Es mejor que hables primero con el monitor de natación.___

2. ___**Es bueno que hagan ejercicios de relajación antes de un examen.**___

3. ___**Es aconsejable que no comas esas papas grasosas.**___

4. ___**Es conveniente que no estés estresada.**___

5. ___**Es importante que no hagan ese ejercicio solos.**___

6. ___**Es necesario que respiremos despacio.**___

Nombre: .... **Fecha:** ....

31 Historia del pilates

▶ **Lee** este texto sobre el método pilates. Después, completa la ficha.

ANSWERS WILL VARY

Historia del pilates

El método pilates es un sistema para entrenar el cuerpo y la mente. El inventor de este método fue el alemán Joseph Hubertus Pilates y lo inventó a principios del siglo XX.

J. H. Pilates tuvo muchas enfermedades de niño y por esta razón decidió estudiar la manera de hacer ejercicios para fortalecer los músculos. Con el tiempo consiguió superar sus enfermedades y se convirtió en un gran atleta.

Durante la Primera Guerra Mundial trabajó en un hospital y desarrolló distintos ejercicios y máquinas para ayudar a los soldados heridos a estirar y reforzar músculos clave *(key)*.

En 1923 se fue a vivir a Estados Unidos y abrió con su esposa un estudio para enseñar su método.

Los ejercicios de este método están basados en el yoga y la gimnasia. En pilates es muy importante el control mental, saber respirar y la relajación.

Para poder practicar bien el método y evitar lesiones, hay que realizar los ejercicios de una manera adecuada y seguir las instrucciones de un monitor.

○ • El método pilates fue inventado por __Joseph Hubertus Pilates__.

• Joseph Hubertus Pilates inventó este método para __fortalecer los músculos__.

○ • En pilates es muy importante __el control mental, saber respirar y la relajación__.

○ • Para practicar pilates correctamente es necesario __seguir las instrucciones de un monitor__.

32 **¿Cuál es tu opinión?**

▶ **Escribe.** ¿Qué opinas sobre el comportamiento de estas personas?

1

No es aconsejable que el niño coma muchas hamburguesas.

3

Es importante que la familia haga ejercicio al aire libre.

2

Es necesario enseñar a nuestros hijos a comer sano.

33 **Salud y alimentación**

▶ **Piensa** en un(a) amigo(a) o familiar que creas que tiene que cambiar sus hábitos y completa estas fichas.

Para llevar una alimentación sana y equilibrada es bueno que **comas fruta y verdura, y que evites la comida basura**

Para estar en forma **es aconsejable que hagas ejercicio regularmente y bebas mucha agua**

Nombre: ....   **Fecha:** ....

LA CONSULTA MÉDICA

los análisis de sangre	*blood test*
el antibiótico	*antibiotic*
el diagnóstico	*diagnosis*
el examen físico	*physical exam*
las píldoras	*pills*
la radiografía	*X-ray*
la revisión médica	*medical checkup*
los síntomas	*symptoms*
dar puntos	*to give stitches*
darse un golpe	*to bump*
estar hinchado(a)	*to be swollen*
estar mareado(a)	*to be dizzy*
estar roto(a)	*to be broken*
recetar	*to prescribe*
tener escalofríos	*to have chills*
tomar el pulso	*to take one's pulse*

Especialistas médicos

el/la dentista	*dentist*
el/la oculista	*ophthalmologist*
el/la pediatra	*pediatrician*
el/la psicólogo(a)	*psychologist*

EL CUERPO HUMANO

el cerebro	*brain*
el corazón	*heart*
el estómago	*stomach*
el hígado	*liver*
los huesos	*bones*
el intestino	*intestines*
los músculos	*muscles*
los pulmones	*lungs*

Me hicieron **una radiografía** y tengo la pierna rota.

34 El especialista

▶ **Escribe.** ¿A qué especialista tienen que ir estas personas?

1. Estoy mareada, me duele la cabeza y no veo bien la pantalla de mi computadora.

Al oculista.

3. Darío se dio un golpe y su mano está muy hinchada.

Al pediatra.

2. No me encuentro bien, estoy triste, me enfado mucho y no puedo dormir.

Al psicólogo.

En clase de anatomía

▶ **Relaciona** las partes del cuerpo humano con la fotografía.

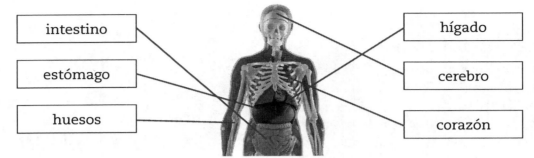

intestino		hígado
estómago		cerebro
huesos		corazón

36 **En la consulta médica**

▶ **Completa** estos diálogos con las palabras del recuadro.

| radiografía | escalofríos | mareado | análisis | recetar |
| hinchado | píldoras | pulso | golpe | roto |

—Buenos días, doctora Sánchez.

—Buenos días. Dígame qué le ocurre.

—Ayer cuando me levanté, estaba un poco _mareado_ y tenía _escalofríos_. Además, me encuentro muy cansado.

—A ver, le voy a tomar el _pulso_. Pues lo tiene bien. Le voy a pedir unos _análisis_ de sangre para ver si tiene bien el hierro.

—Buenos días, doctor Hernández.

—Buenos días, Felipe. ¿Qué tal está? Dígame qué le ocurre.

—Pues es que esta mañana en casa me di un _golpe_ en este dedo y está _hinchado_ y me duele mucho. ¿Lo tendré _roto_?

—Voy a tocarle; si le duele, me lo dice. Creo que no está roto, pero vamos a hacerle una _radiografía_ para asegurarnos y le voy a _recetar_ unas _píldoras_ para el dolor.

37 **Revisión médica**

▶ **Contesta** según tu propia experiencia.

ANSWERS WILL VARY

1. ¿Te has hecho alguna vez un análisis de sangre? **Sí, y me mareé.**

2. ¿Te han dado puntos alguna vez? **No, nunca.**

3. ¿Te has roto algún hueso? **Sí. Me rompí un dedo.**

Nombre: _____   **Fecha:** _____

EL CONDICIONAL

To express wishes for the future, you can use the conditional. It is equivalent to would + verb when referring to the present or the future.

Me gustaría estar en forma.

Condicional. Verbos regulares

	HABLAR	COMER	ESCRIBIR
yo	hablaría	comería	escribiría
tú	hablarías	comerías	escribirías
usted, él, ella	hablaría	comería	escribiría
nosotros(as)	hablaríamos	comeríamos	escribiríamos
vosotros(as)	hablaríais	comeríais	escribiríais
ustedes, ellos(as)	hablarían	comerían	escribirían

Condicional. Verbos irregulares

poder $\rightarrow$ **podr-**   decir $\rightarrow$ **dir-**
poner $\rightarrow$ **pondr-**   hacer $\rightarrow$ **har-**
salir $\rightarrow$ **saldr-**   querer $\rightarrow$ **querr-**
tener $\rightarrow$ **tendr-**   saber $\rightarrow$ **sabr-**
venir $\rightarrow$ **vendr-**   haber $\rightarrow$ **habr-**
valer $\rightarrow$ **valdr-**   caber $\rightarrow$ **cabr-**

Nos gustaría ir a la universidad.

38 Si tuviera más tiempo...

▶ **Completa** las oraciones poniendo los infinitivos del recuadro en la forma correspondiente del condicional.

salir   poder   gustar   tener   visitar   saber   hacer

1. A mí me __gustaría__ entrenar para correr el maratón de Nueva York.

2. Yo __visitaría__ más a mis abuelos y a mis primos.

3. Yo __haría__ un curso de cocina para aprender a cocinar más sano.

4. Pues yo __saldría__ más con mis amigos.

5. Y yo __podría__ hacer más deporte.

6. No __sabría__ qué hacer, __tendría__ que pensarlo.

39 **¿Qué haría?**

▶ **Relaciona** las situaciones con lo que haría Bernardo. Después, pon en condicional los verbos entre paréntesis.

1. Descubre que su vecino es un ladrón de cuadros.

2. Su cantante favorito lo invita a cantar con él en un concierto.

3. Encuentra un reloj de oro en la calle.

a. Primero, (saltar) __saltaría__ y (gritar) __gritaría__ de alegría. Después, (aceptar) __aceptaría__ encantado.

b. (Mirar) __Miraría__ si tiene algún nombre y lo (llevar) __llevaría__ a la policía.

c. Me (poner) __pondría__ muy nervioso y creo que (llamar) __llamaría__ a la policía.

40 **¿Qué harías tú?**

▶ **Escribe.** ¿Qué harías en estas situaciones?

1

__Pediría ayuda y buscaría agua.__

_____

_____

2

__Llevaría la cartera a la policía.__

_____

_____

41 **Planes**

▶ **Escribe** dos planes que te gustaría realizar y completa la tabla.

PLANES QUE TE GUSTARÍA REALIZAR	CUÁNDO TE GUSTARÍA REALIZARLOS	CON QUIÉN TE GUSTARÍA REALIZARLOS
Me gustaría ir a México.	El año que viene.	Con mi mejor amiga.
Me gustaría ir a esquiar.	En el invierno.	Con mis padres.

Nombre: ....   **Fecha:** ....

DAR CONSEJOS Y HACER RECOMENDACIONES

- *To give advice or to make recommendations, you may use:*

aconsejar **recomendar** **sugerir**	+ infinitive + **que** + subjunctive

El oculista me **recomienda usar** gafas.
El oculista me **recomienda que use** gafas.

- *To make a suggestion with a degree of obligation, use* **deber** *in the present or in the conditional.*

Debes usar gafas.
Deberías usar gafas.

El médico me **recomendó usar** gafas.

Expresiones coloquiales para dar consejos y hacer recomendaciones

- *To give advice by saying what you would do, the conditional is used.*

Yo **usaría** gafas.

- *These expressions put the speaker in the other person's place.*

Yo en tu lugar + conditional	**Yo que tú** + conditional

Yo en tu lugar iría al médico.

Yo que tú iría al médico.

---

42 ## Consejos y recomendaciones

▶ **Relaciona** cada comentario con la recomendación apropiada.

A Me duele mucho una muela.

C Me duele mucho el estómago y no puedo comer nada.

B Estoy muy nerviosa y estresada. No puedo dormir bien.

1. Deberías ir al médico y hacerte una revisión.   _C_
2. Deberías preocuparte menos por todo. Yo que tú iría al psicólogo.   _B_
3. Te recomiendo que vayas al dentista para que te la vea.   _A_

43 Deberías hacerlo

▶ **Completa** la conversación dando sugerencias saludables.

Nunca bebo agua.	**Deberías empezar a beber agua. Es muy saludable.**
Tampoco voy al gimnasio.	**Yo en tu lugar haría ejercicio.**
Como mucha carne.	**Yo que tú comería más fruta y verdura.**
Hace tres años que no voy al dentista.	**Debes ir lo antes posible.**
Nunca me hago revisiones.	**Te sugiero que visites al médico y te hagas una revisión.**

44 Ordenando la habitación

▶ **Escribe** consejos para ayudar a este chico. Usa estos verbos.

| cerrar |
| dar |
| guardar |
| hacer |
| poner |
| recoger |

Yo que tú **guardaría la ropa en el armario, haría la cama y cerraría la ventana. Yo en tu lugar pondría la maceta en la ventana y recogería las cosas del suelo**

.

Nombre: ....   **Fecha:** ....

45 Mis vacaciones ideales

▶ **Describe** tus vacaciones ideales. Estas preguntas te pueden ayudar.

> ¿Adónde te gustaría ir?

> ¿Con quién te gustaría pasarlas?

> ¿Qué te gustaría visitar?

> ¿Cómo te gustaría ir?

> ¿Cuándo te gustaría ir?

> ¿Por qué te gustaría ir a ese sitio?

Me gustaría ir a Egipto con mi novia.
Iríamos en avión y allí podríamos visitar
las pirámides y conocer las costumbres
del país. Sería un viaje muy interesante.

46 En el médico

▶ Paloma se ha dado un golpe en una mano jugando al fútbol en la escuela y le duele mucho. **Marca** las oraciones lógicas en esta situación.

- ☑ Paloma debería ir al hospital.

- ☐ Quizás tenga escalofríos.

- ☐ Tendría que ir a la consulta de un oculista.

- ☑ El médico debería hacerle una radiografía.

- ☑ Es posible que su mano esté hinchada.

- ☐ Seguro que el médico le toma el pulso y le mira los pulmones.

- ☑ Quizás tenga un hueso roto y por eso le duele tanto.

- ☑ El médico podría recetarle unas píldoras para el dolor.

47 Mejoras importantes

▶ **Escribe.** ¿Cómo mejorarías este celular para ajustarlo a tus necesidades?

Le pondría una pantalla más grande. También cambiaría

el color del teléfono y reduciría el tamaño de las teclas.

48 Ponte en mi lugar

▶ **Escribe** respuestas a estos problemas.

AMIG@S	
AUTOR	**MENSAJE**
Gerardo	**Publicado:** 3 mayo, 5:48 Antes, mi amigo y yo estudiábamos juntos y éramos buenos estudiantes. Pero ahora nos vemos poco y los dos recibimos malas notas. ¿Me puedes ayudar? Amigo preocupado.
Joel	**Publicado:** 4 mayo, 12:18 Te aconsejo que te reúnas con tu amigo y decidan qué podrían hacer para volver a estudiar juntos.
Marieta	**Publicado:** 28 mayo, 12:00 Mi mejor amiga está muy triste y no sé por qué. Se ha vuelto muy antipática conmigo. Además, no se cuida nada, come muy mal, no hace nada de ejercicio. ¿Qué puedo hacer?
Rocío	**Publicado:** 28 mayo, 4:18 Te sugiero que hables con ella y que le recomiendes que vaya a un psicólogo para descubrir cuál es el problema.

Nombre: ....   **Fecha:** ....

49   En la consulta del médico

▶ **Subraya** los ocho errores que hay en esta conversación.

En la consulta

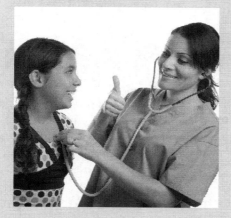

DOCTORA: Buenos días. Siéntese y dígame qué le pasa.

PACIENTE: Buenos días, doctora. Me siento muy cansada desde hace unos días.

DOCTORA: ¿Tiene otros síntomas?

PACIENTE: Me duele la cabeza y cuando me levanto de la cama, estoy escalosfríos y parece que el corazón va muy rápido, y eso me pone muy nerviosa.

DOCTORA: Bueno, vamos a ver. Le voy a hacer un análisis físico para ver si todo está bien. Respire profundo, por favor. A ver… bien, en los huesos no hay nada. Ahora, le voy a tomar el diagnóstico y le voy a escuchar el corazón. Bien. Ahora le voy a revisar la vista. Tápese el ojo derecho y dígame, por favor, qué letras ve en esta línea.

PACIENTE: No las puedo leer.

DOCTORA: Bueno, pues tiene que ir al dentista para que le haga una radiografía porque el dolor de cabeza puede ser por eso. También le voy a pedir que se haga unos análisis de sangre porque quiero ver los niveles de hierro. Una pregunta: ¿tiene usted ahora mucho estrés?

PACIENTE: Un poco, ahora tengo muchos exámenes y a veces me parece que el tiempo no me alcanza.

DOCTORA: Bueno, es importante que se tome las cosas con calma y que se relaje. Es bueno que hacer ejercicio y yoga o pilates. Le voy a tomar estas píldoras para el dolor de cabeza.

PACIENTE: Gracias, ya me siento un poquito mejor.

DOCTORA: De nada. Vuelva, por favor, dentro de dos semanas para ver cómo está.

50 **¿Cuáles son tus hábitos?**

▶ **Completa** este cuestionario con preguntas para saber si tus amigos(as) siguen una dieta equilibrada y si tienen unos hábitos saludables.

Cuestionario sobre hábitos saludables

1. ¿Qué desayunas por las mañanas?

2. ¿Cuánta fruta y verdura consumes diariamente?

3. ¿Cuántas veces a la semana consumes legumbres?

4. ¿Comes mucha comida basura?

5. ¿Cuántas horas duermes al día?

6. ¿Haces ejercicio?

7. ¿Cuántas horas pasas delante del televisor?

8. ¿Qué haces cuando te sientes estresado(a)?

9. ¿Cuántas horas pasas delante de la computadora?

10. ¿Con qué frecuencia visitas a tu médico?

11. ¿Vas al dentista una vez al año?

12. ¿Vas al oculista una vez al año?

13. ¿Sales con tus amigos?

▶ Imagina las respuestas de tu mejor amigo(a). **Escribe** al menos cinco consejos para que mejore los malos hábitos que tenga.

Consejos para mejorar tus hábitos

1. Yo que tú _dejaría de comer tanta comida basura_
   _._

2. Deberías _pasar menos tiempo delante de la computadora_
   y hacer más ejercicio _._

3. _Yo en tu lugar dormiría ocho horas._

4. _Te aconsejo que vayas al médico una vez al año._

5. _Debes consumir legumbres._

Nombre: _____ **Fecha:** _____

51 **Un superalimento**

▶ **Lee** el texto y decide si las oraciones son ciertas (C) o falsas (F).

La quinua

La quinua es un alimento muy importante en la dieta de los países andinos desde hace mucho tiempo. Actualmente, se recomienda su consumo en todo el mundo por ser un alimento que tiene un alto valor nutritivo y es fácil de digerir.

La quinua contiene casi el doble de proteínas que otros cereales. Y es un alimento rico en minerales como hierro, calcio, fósforo y vitaminas, y es pobre en grasas. La Organización Mundial de la Salud (OMS) lo considera un alimento tan importante como la leche.

La quinua tiene un sabor parecido al del arroz y la podemos cocer y comer como si fuera arroz. También podemos usarla como cereal y pasta.

La harina de quinua se produce y comercializa en Perú, en Bolivia y en Colombia, donde sustituye muchas veces a la harina de trigo en la elaboriónn de panes, tortas y galletas. También se utiliza cada vez más para relleno de empanadas.

Uno de los platos típicos de la zona de Cuzco es el *pesqué* o *peské*, que se prepara con leche, quinua, queso y mantequilla, y se puede consumir solo o combinado con otros platos.

La quinua es considerada además como una planta medicinal por la mayor parte de los pueblos andinos. Se usa, por ejemplo, para el tratamiento de hemorragias (*hemorrhage*), luxaciones (*dislocation*) y para usos cosméticos.

1. La quinua es un alimento recomendado solo para la población andina. C (F)
2. Se recomienda su consumo por su contenido en proteínas y grasas. C (F)
3. Los granos de la quinua se pueden comer como si fuera pasta. (C) F
4. Las antiguas culturas andinas usaban la quinua como medicamento. (C) F
5. La quinua es un alimento muy completo. (C) F
6. Se aconseja el uso de la quinua para controlar las hemorragias. (C) F

52 **Los baños en aguas termales**

▶ **Escribe** una sugerencia o mandato para cada propuesta. Usa la información de la tabla como referencia.

LOS BAÑOS EN AGUAS TERMALES: RECOMENDACIONES
• El baño debe ser lento y reposado.
• El tiempo de baño es de 10 minutos para adultos y de 5 minutos para niños.
• Evite hacer ejercicios violentos. Está prohibido nadar.
• Si durante el baño siente dolor de cabeza o mareo, debe salirse rápidamente.
• Los baños deben tomarse 2 horas después de haber comido.
• Si tiene problemas de salud, consulte a su médico antes de hacer uso de los baños termales.
• Es conveniente realizarse un examen médico en la enfermería del centro.
• No es conveniente quedarse frío después del baño. Póngase un albornoz o use una toalla.

1 Quiero quedarme 20 minutos más en el agua.

Deberías evitar pasar más de diez minutos en el agua.

2 Después de comer, podemos darnos un baño.

Espera dos horas después de haber comido.

3 ¿Quieres que hagamos ejercicios aeróbicos en el agua?

No. El baño debe ser reposado.

4 Tengo calor después del baño: voy a quitarme esta sudadera.

Yo que tú no me quitaría la sudadera. No debes quedarte frío.

146

Nombre: ....   **Fecha:** ....

¿Puedes contestar las preguntas o completar las oraciones en menos de 10 segundos?
Una oración correcta te da 2 puntos. Errores de ortografía o concordancia restan 1 punto.

DESAFÍO 1

1 Si te gusta la carne poco cocinada, te gusta la carne __**poco hecha**__ .	**2** Si te gusta la comida sabrosa, puedes sustituir la sal por __**especias**__ .	**3** Si estás a dieta, ¿tienes que aumentar o reducir las grasas? __**Reducirlas.**__

DESAFÍO 2

4 Si bajas de peso, ¿pesas más o menos? __**Menos.**__	**5** ¿Qué usas para cuidar los dientes? __**Cepillo, pasta e hilo dental.**__	**6** Si te sientes estresado, es bueno practicar __**yoga**__ o __**pilates**__ .
	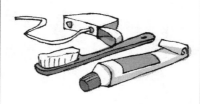	

DESAFÍO 3

7 Son blancos y duros y forman el esqueleto. ¿Qué son? __**Los huesos.**__	**8** ¿A qué especialista deberías ir para revisar tus dientes? __**Al dentista.**__	**9** ¿Qué prueba te hacen para saber si tienes un hueso roto? __**Una radiografía.**__
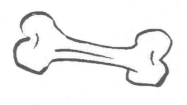		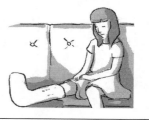

Cultura

Contesta.

1. ¿Qué ingredientes lleva la ropa vieja? ¿Por qué se llama así?

   Carne de res, tomate, cebolla, ajo y especias.

   Se llama así porque se prepara con sobras.

2. ¿Quién fundó el hospital más antiguo de las Américas? ¿Dónde se construyó?

   Fue fundado por Hernán Cortés y se encuentra en la Ciudad

   de México.

3. ¿Por qué es famosa Punta del Este en Uruguay?

   Es famosa por sus fantásticas playas.

4. ¿Para qué se suelen utilizar las aguas termales?

   Se suelen utilizar como tratamiento de salud.

5. ¿En qué país de habla española se donan más órganos?

   En España.

6. ¿Quién inventó el marcapasos?

   Lo inventó Jorge Reynolds Pombo.

7. ¿Para qué civilizaciones fue el maíz un producto esencial?

   Fue esencial para los mayas y los aztecas.

8. ¿Qué productos se hacen con el trigo?

   Se hace harina, pan, pasta y copos para el desayuno.

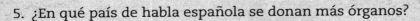

Nombre: _____ **Fecha:** _____

1 Incendio en el restaurante

▶ **Completa** el texto con los nombres de los profesionales que intervinieron.

Incendio en el restaurante

Mientras dirigía el tráfico, la __policía__ vio salir humo de un restaurante. Inmediatamente llamó a los __bomberos__. Un __telefonista__ recibió la llamada y anotó la dirección. Dentro del restaurante, los __cocineros__ dijeron a los __meseros__ que había un incendio en la cocina y que tenían todos que salir corriendo. La __cajera__ del restaurante sacó todo el dinero de la caja y salió a la calle.

2 Predicciones razonadas

▶ **Escribe** lo que estos niños pueden ser de mayores.

1. A Alejandra le encantan los juegos de construcciones. _Será arquitecta._

2. A David le encanta enseñar a leer a su hermano. __Será maestro.__

3. A Ignacio le divierte vender cosas. __Será dependiente.__

4. A Matilde le gusta mucho leer y tiene muchos libros. __Será bibliotecaria.__

3 Lugares de trabajo

▶ **Relaciona** cada foto con el lugar correspondiente.

1. el supermercado ___C___   3. la fábrica ___D___

2. la oficina ___B___   4. el restaurante ___A___

EXPRESIONES ÚTILES

4 **Las habilidades de Jorge**

▶ **Relaciona** las palabras para descubrir lo que puede o no puede hacer Jorge.

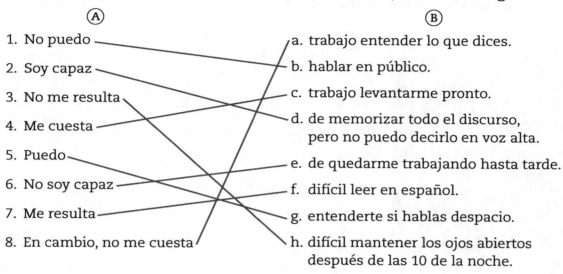

Ⓐ

1. No puedo
2. Soy capaz
3. No me resulta
4. Me cuesta
5. Puedo
6. No soy capaz
7. Me resulta
8. En cambio, no me cuesta

Ⓑ

a. trabajo entender lo que dices.

b. hablar en público.

c. trabajo levantarme pronto.

d. de memorizar todo el discurso, pero no puedo decirlo en voz alta.

e. de quedarme trabajando hasta tarde.

f. difícil leer en español.

g. entenderte si hablas despacio.

h. difícil mantener los ojos abiertos después de las 10 de la noche.

5 **¿Puedes hacerlo?**

▶ **Escribe.** ¿Cuáles de estas cosas puedes hacer y cuáles no? Usa las expresiones del recuadro.

| correr un maratón | hablar en español con tus compañeros(as) | planchar |

| levantarte temprano los fines de semana | participar en un concurso de baile |

| contar un chiste en público |

> (no) puedo…
> (no) soy capaz de…
> (no) me resulta…
> (no) me cuesta trabajo…

No soy capaz de correr un maratón, pero sí puedo participar en un concurso de baile. No me cuesta trabajo hablar en español con mis compañeros, pero no soy capaz de contar un chiste en público. Me resulta imposible levantarme temprano los fines de semana. No me cuesta trabajo planchar.

Nombre: _____   Fecha: _____

PROFESIONES Y CARGOS

el/la banquero(a)	*banker*
el/la científico(a)	*scientist*
el/la comerciante	*vendor*
el/la contador(a)	*accountant*
el/la diseñador(a) gráfico(a)	*graphic designer*
el/la empresario(a)	*businessman / businesswoman*
el/la escritor(a)	*writer*
el/la farmacéutico(a)	*pharmacist*
el/la funcionario(a)	*government employee*
el/la juez(a)	*judge*
el/la obrero(a)	*(blue collar) worker*
el/la periodista	*journalist*
el/la programador(a) informático(a)	*computer programmer*
el/la traductor(a)	*translator*

Cargos

el/la coordinador(a)	*coordinator*
el/la director(a)	*director*
el/la empleado(a)	*employee*
el/la gerente	*manager*
el/la jefe(a)	*boss*
el/la presidente(a)	*president*

Acciones

apagar incendios	*to put out fires*
descubrir	*to discover*
informar	*to inform*
investigar	*to research*
salvar vidas	*to save lives*

Yo de mayor quiero ser **periodista**.

6 Profesiones

▶ **Completa** con el nombre de las profesiones relacionadas con estas fotos.

Crucigrama:

1 JUEZ
2 PERIODISTA
3 TRADUCTOR
4 OBRERO
5 ESCRITOR
6 CONTADOR

7 Desorientados

Answers will vary

▶ **Lee** lo que dicen estas personas y escribe qué profesión pueden tener de mayores.

No sé qué estudiar cuando acabe la escuela. Me gustan mucho las computadoras y dibujo muy bien. El año pasado diseñé una página web para la empresa de tortas de mi madre.

Mario de mayor puede ser **diseñador gráfico**.

A mí me gusta mucho investigar lo que ocurre en otros países y en otras culturas y luego informar a mis amigos.

Cada vez hay más niños alérgicos a algunos alimentos. Me encantaría descubrir algún medicamento o remedio para evitar las alergias.

Mercedes **de mayor puede ser periodista**.

Julián **de mayor puede ser científico**.

8 Cargos de una empresa

▶ **Completa** estos textos con estas palabras.

jefa	director	coordinadora	presidente	empleados

1 Según la lista Forbes el fundador y _presidente_ del grupo textil Inditex, Amancio Ortega, es el español más rico.

2 José Graziano da Silva fue nombrado nuevo _director_ general de la FAO.

3 1001 formas de motivar a los _empleados_ de una empresa.

4 La _jefa_ de la Policía dice que no hay pruebas.

5 La nueva _coordinadora_ dirigirá un equipo de diez personas. Entre sus funciones están las de planificar, organizar y controlar las instalaciones.

Nombre: .... **Fecha:** ....

EXPRESAR CERTEZA Y DUDA

Expresiones de certeza con indicativo

> Es verdad/Es cierto/Es evidente/Es obvio + que
>
> Estar convencido(a)/Estar seguro(a) + de que
>
> Saber + que
>
> No dudar + que

> Estoy seguro de **que voy** a conseguir el trabajo.

Expresiones de duda con subjuntivo

> Es dudoso/Es improbable/Es posible/Es probable + que
>
> Dudar + que

Expresiones negativas con subjuntivo

> No es verdad/No es cierto/No es evidente
>
> No es obvio/No es posible/No es probable   + que
>
> No estar convencido(a)/No estar seguro(a) + de que

---

9 **Problemas de periodista**

▶ **Lee** este diálogo y decide si cada oración expresa duda (D) o certeza (C).

D María, no estoy seguro de que pueda terminar el informe hoy.

C ¡Ánimo! Sé que lo puedes hacer.

C Pero es obvio que necesito investigar más.

C Estoy convencida de que terminarás todo antes de las cinco.

D Es muy probable que no tenga tiempo para acabarlo.

D En ese caso, dudo que se publique mañana. ¡Qué lástima!

10 Futuro incierto

▶ **Completa** este texto con las palabras del recuadro.

seguros	*convencido*	*evidente*	*dudan*	*cierto*

El futuro

Es __cierto__ que ahora es difícil lograr un buen trabajo. Además, la mayoría de economistas __dudan__ que la situación laboral mejore en los próximos meses. A pesar de esto, todos están __seguros__ de que el futuro será mejor. Por ejemplo, para ellos, es __evidente__ que van a surgir nuevas oportunidades laborales y se van a crear nuevas profesiones. Resumiendo, estoy __convencido__ de que hay motivos para ser optimistas.

11 El mundo laboral

▶ **Escribe** los verbos entre paréntesis en la forma verbal correcta.

1 Es evidente que el trabajo en equipo (tener) __tiene__ muchas ventajas para los trabajadores y para las empresas.

4 No es verdad que el trabajo en casa le (gustar) __guste__ a todo el mundo.

2 Es cierto que los horarios de algunos trabajos (ser) __son__ muy malos porque tienen turnos. Estoy convencida de que eso (afectar) __afecta__ a la salud de los trabajadores.

3 Es obvio que las empresas (necesitar) __necesitan__ trabajadores motivados para que funcionen bien.

5 Dudo mucho que un trabajador (querer) __quiera__ cambiarse de trabajo si gana mucho dinero.

▶ **Lee** otra vez los comentarios anteriores y escribe tu opinión al respecto. Usa las expresiones de certeza o duda que conoces.

1. __Es verdad que el trabajo en equipo tiene muchas ventajas.__

2. __No dudo que algunos horarios afectan a la salud del trabajador.__

3. __Sé que las empresas necesitan trabajadores motivados.__

4. __Es posible que trabajar en casa no le guste a mucha gente.__

5. __Es probable que algún trabajador quiera cambiar de trabajo.__

Nombre: ....　　**Fecha:** ....

EL IMPERFECTO DE SUBJUNTIVO

Imperfecto de subjuntivo. Verbos regulares

La profesora me aconsejó que **estudiara** más.

	TRABAJAR	COMER	ESCRIBIR
yo	trabajara	comiera	escribiera
tú	trabajaras	comieras	escribieras
usted, él, ella	trabajara	comiera	escribiera
nosotros(as)	trabajáramos	comiéramos	escribiéramos
vosotros(as)	trabajarais	comierais	escribierais
ustedes, ellos(as)	trabajaran	comieran	escribieran

Uso del imperfecto de subjuntivo

The imperfect subjunctive is used in the same situations in which you would use the present subjunctive, but when the verb in the main clause is in the past.

El comerciante me **aconsejó**

El comerciante me **aconsejaba**　　+ que **comprara** la computadora.

El comerciante me **había aconsejado**

12　Verbos

▶ **Clasifica** estos verbos en el lugar correspondiente de la tabla. Para saber si un verbo es irregular en el imperfecto de subjuntivo, piensa si es irregular en el pretérito.

ser	beber	tener	dar	hablar	querer
estar	ir	llegar	poder	saber	pedir
poner	decir	hacer	estudiar	venir	dormir

VERBOS REGULARES EN EL IMPERFECTO DE SUBJUNTIVO	VERBOS IRREGULARES EN EL IMPERFECTO DE SUBJUNTIVO	
beber hablar llegar estudiar	ser tener dar querer estar ir poder	saber pedir poner decir hacer venir dormir

13 Cosas de empresa

▶ **Subraya** la forma verbal correcta.

Hace una semana, la directora pidió al contador que *haga / hiciera* un informe de los gastos (*expenses*) del último año porque el presidente le había aconsejado que los *publique / publicara* en la web de la empresa. Es probable que el contador *presente / presentara* su informe ayer. Dudo que lo *pueda / pudiera* hacer antes porque tenía mucho trabajo.

14 Un día muy duro

▶ Esmeralda es secretaria en una gran multinacional y ayer tuvo un día horrible. **Completa** lo que dice poniendo los verbos en imperfecto de subjuntivo.

| organizar | ordenar | buscar | llamar | inscribir |

Ayer fue un día horrible. La directora me pidió que **llamara** a todos los jefes de departamento y que **organizara** una reunión para las 10 de la mañana. Después, la jefa de ventas quería que **buscara** unos informes del año 2000 y me sugirió que **ordenara** todos los informes del año 2001 hasta ahora por orden alfabético. Luego, mi compañero me aconsejó hace unas semanas que me **inscribiera** en un curso de inglés, y ayer empezaban las clases.

15 Consejos

▶ **Piensa** en los últimos consejos que te han dado o que has dado y completa estas oraciones.

1. Mi __madre__ me aconsejó que __comiera alimentos más saludables__
_____.

2. Mi __profesor__ me aconsejó que __estudiara todos los días__
__y no solo el día antes del examen_____.

3. Yo aconsejé a __mi amigo__ que __tomara clases de baile__
__para participar en un concurso_____.

Nombre: _____   **Fecha:** _____

16 Profesiones

ANSWERS WILL VARY

▶ **Piensa** en dos de tus mejores amigos(as) y completa estas fichas.

A _Gabriela_ le gusta _discutir y debatir_

○ Es capaz de _memorizar facilmente muchos datos_

No le cuesta trabajo _hablar en publico_

○ Es una persona _simpatica y extrovertida_

A _Ricardo_ le gusta _investigar y conocer cosas nuevas_

○ Es capaz de _hacer deducciones_

No le cuesta trabajo _ser organizado y metodico_

○ Es una persona _muy trabajadora y curiosa_

ANSWERS WILL VARY

▶ Con la información anterior, **escribe**. ¿Qué profesión puede tener cada uno de mayor? ¿Por qué?

Gabriela puede ser abogada porque le gusta debatir y no le cuesta

trabajo hablar en público. Ricardo puede ser científico porque le gusta

mucho investigar y es capaz de hacer deducciones.

_____

_____

17 El Día del Trabajo

▶ **Completa** este texto sobre el Día del Trabajo escribiendo la forma verbal correcta de los verbos entre paréntesis.

El Día del Trabajo

A finales del siglo XIX, miles de ganaderos y agricultores desocupados de los Estados Unidos se trasladaron (*move*) a las ciudades porque allí sabían que se (necesitar) _necesitaban_ trabajadores para las fábricas.

Los dueños de las fábricas querían que la gente (trabajar) _trabajara_ muchas horas y los trabajadores pedían que la jornada de trabajo (ser) _fuera_ más corta y que (mejorar) _mejoraran_ las condiciones laborales. Durante años los trabajadores no consiguieron que (cambiar) _cambiara_ nada y por eso decidieron formar sindicatos para defender sus derechos. En noviembre de 1884 se celebró en Chicago el IV Congreso de la American Federation of Labor. En este congreso se pidió que se (obligar) _obligara_ a los empresarios a respetar la jornada de ocho horas. Pero esta jornada no se respetó y el 1 de mayo de 1886 los trabajadores empezaron sus protestas.

Para recordar estos hechos, se creó el Día Internacional del Trabajo, que en muchos países europeos se celebra cada año el primero de mayo.

Nombre: ....   **Fecha:** ....

TRABAJO

ascender	*to be promoted*
el contrato	*contract*
la jornada completa	*full-time*
la media jornada	*part-time*
el sueldo	*salary*
las vacaciones	*vacation*

Cualidades

amable	*friendly*
ambicioso(a)	*ambitious*
creativo(a)	*creative*
eficiente	*efficient*
emprendedor(a)	*entrepreneurial*
exigente	*demanding*
organizado(a)	*organized*
responsable	*responsible*

TECNOLOGÍA

la computadora	*computer*
la fotocopiadora	*copier*
la impresora	*printer*
la pantalla	*screen*
el ratón	*mouse*
el reproductor de CD	*CD player*
el teclado	*keyboard*

Acciones

abrir un documento	*to open a document*
bajar un archivo	*to download a file*
cerrar un programa	*to close an application*
clicar con el ratón	*to click the mouse*
colgar/subir una foto	*to upload a picture*
fotocopiar un informe	*to copy a report*
guardar un mensaje	*to save a message*
imprimir un gráfico	*to print a graphic*
navegar por Internet	*to surf the Internet*

Este **ratón** es muy cómodo.

18 La computadora

▶ **Escribe** el nombre de cada componente.

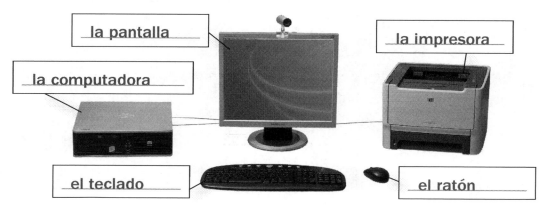

la pantalla

la impresora

la computadora

el teclado

el ratón

19 **Trabajo digital**

▶ **Completa** este texto con los verbos del recuadro.

imprimir	colgando	abrí	cerrar	navegando	guardé

Un trabajo para la escuela

Ayer estuve toda la tarde con la computadora. Primero, estuve
colgando unas fotos de mis últimas vacaciones en una red social.
Luego, tenía que hacer un trabajo para la escuela y estuve _navegando_
por Internet. Encontré unos gráficos y unos textos muy interesantes
y _abrí_ un documento para copiarlos, pero no pude; entonces
decidí _imprimir_ todo, pero tampoco pude. Me salía un mensaje
que decía que tenía que _cerrar_ un programa, pero no sé qué
programa era. De todas formas, _guardé_ el mensaje para preguntar
después a mi hermano. Al final, le mandé la dirección de la página a mi amiga
Susan y le pedí que imprimiera la información.

20 **Perfil profesional**

▶ **Relaciona** cada rasgo de personalidad con una descripción.

Ⓐ Ⓑ

1. amable ——————————— a. Está dispuesto(a) siempre a ayudar.
2. emprendedor(a) ——————— b. Se obliga a hacer bien el trabajo.
3. exigente ——————————— c. Toma la iniciativa.

21 **Anuncios de trabajo**

▶ **Completa** este anuncio de trabajo con la información que falta.

Anuncios de trabajo

¿Estás estudiando y buscas un trabajo a media _jornada_ ?
Pues has encontrado tu trabajo ideal. Buscamos personas amables,
responsables y organizadas para _trabajar_ en nuestras tiendas
de regalos. Te hacemos un _contrato_ de prueba de tres meses.
El _trabajo_ es interesante y podrás tener dos semanas
de _vacaciones_ en verano y una en invierno. ¿Estás interesado(a)?

Nombre: ....   **Fecha:** ....

DAR DETALLES. EL RELATIVO QUE

El pronombre relativo *que*

Use adjectives or adjective clauses to add information about a noun. The relative pronoun **que** *introduces the adjective clause.*

Conozco a una <u>jueza</u> muy **famosa**.

Conozco a una <u>jueza</u> **que es** muy **famosa**.

Indicativo y subjuntivo en la cláusula adjetiva

- *Use the indicative to describes someone or something that exists or is known.*

En esta tienda <u>hay un gerente</u> que **habla** japonés.

- *Use the subjunctive to describe someone or something that doesn't exist, is unknown, or whose existence is in question.*

<u>No hay nadie</u> que **pueda** arreglar ordenadores.

<u>Busco un ratón</u> que no **necesite** cables.

¿<u>Hay alguien</u> en esta tienda que **arregle** ordenadores?

Busco un asistente **que sea** eficiente y muy organizado.

22 Referencias concretas

▶ **Rodea** el relativo *que* y subraya el nombre al que se refiere.

Periódico nacional busca:

- Periodista que tenga cinco años de experiencia y que sepa hablar chino y japonés.

- Diseñador gráfico que sea creativo, que sepa dibujar y que tenga experiencia en revistas y periódicos.

- Programador informático que tenga conocimientos en la creación de páginas web.

Se ofrece contrato indefinido, jornada completa y horario flexible.

Compañía textil española en expansión necesita diseñadores que sean titulados superiores en diseño. Para nosotros los conocimientos que se adquieren en estas escuelas son imprescindibles. Deben ser creativos y ambiciosos como los profesionales que tienen éxito en el mundo de la moda.

---

23 **¿Conocido o desconocido?**

▶ **Relaciona** la palabra destacada con la etiqueta correspondiente.

1. ¿Conoces a **alguien** que quiera trabajar media jornada?

2. No conozco a **nadie** que arregle computadoras.

3. Tengo **una impresora** que imprime fotos a color.

4. No hay **ningún archivo** que lleve su nombre.

5. Hay **un ratón** que no tiene cables.

| conocido |

| desconocido |

24 **En la tienda**

▶ **Completa** estas oraciones con la forma correcta del verbo entre paréntesis.

1. Carlos quiere comprarse una computadora que (tener) __tenga__ DVD.

2. Ana tenía una casa que (estar) __estaba__ cerca del centro.

3. Estoy buscando unos zapatos que (ser) __sean__ baratos.

4. No conozco a nadie que (hablar) __hable__ ruso.

5. ¿Conoces a algún traductor que me (poder) __pueda__ ayudar?

6. En esta oficina no hay nadie que (trabajar) __trabaje__ media jornada.

7. La empresa necesita farmacéuticos que (tener) __tengan__ experiencia.

8. Amanda buscaba una escuela que (estar) __estuviera__ en Nueva York.

25 **Busco compañero**

▶ Mónica quiere compartir su apartamento. **Lee** la información y escribe un anuncio para encontrar un(a) compañero(a) adecuado(a) para ella.

Soy diseñadora gráfica y me encanta la gente creativa. Soy muy organizada y responsable. Me encanta navegar por Internet. Me gusta levantarme pronto y practicar yoga. No me gusta nada el ruido. Por la noche me gusta leer y escuchar música clásica.

Busco compañero(a) para compartir apartamento que __sea organizado,__

__responsable y tranquilo. Busco a alguien que le guste leer, escuchar__

__música clásica y navegar por Internet__

Nombre: ....   **Fecha:** ....

EL GÉNERO DEL NOMBRE

Masculino y femenino. Casos especiales

- *Nouns that end in -o are usually masculine. Nouns that end in -a are usually feminine. Exceptions:* el día, el mapa, el planeta, el pijama, el sofá, la mano.
- *Some words ending in -o are feminine:* la foto (la fotografía), la moto (la motocicleta).
- *Most nouns of Greek origin ending in -ma are masculine:* el clima, el drama, el diagrama, el dilema, el diploma, el idioma, el poema, el problema, *etc.*

El género en oficios, profesiones y cargos

- *Nouns ending in -or are usually masculine. Add -a to form the feminine:* el doctor/la doctora. *Exception:* el actor / la actriz.
- *Nouns ending in -ista and -a do not change:* el/la artista, el/la astronauta.
- *Most nouns ending in -e do not change:* el/la agente, el/la detective. *Exceptions:* el cliente/la clienta, el jefe/la jefa, el presidente/la presidenta.
- *Some nouns ending in -o do not change:* el/la modelo, el/la piloto.

Excepción a las normas de concordancia

- *Feminine nouns that begin with a stressed a- or ha-:*
  - *In the singular, require a masculine article but a feminine adjective:* el agua fría.
  - *In the plural, require a feminine article:* las alas rojas.

> Según **el mapa**, el museo está cerca de aquí.

26 **¿El o la?**

▶ **Relaciona** los sustantivos con el o los artículos correspondientes.

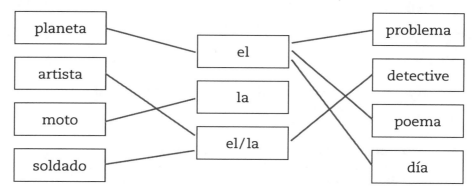

planeta — artista — moto — soldado — el — la — el/la — problema — detective — poema — día

27 Los titulares

▶ **Completa** estos titulares de periódico con el artículo definido correspondiente.

La periodista Inés Sainz es la estrella de la televisión mexicana

La cantante australiana Kylie Minogue sale desde hace dos años con **el** modelo español Andrés Velencoso

La POETA NICARAGÜENSE, GIOCONDA BELLI, GANA EL PREMIO BIBLIOTECA BREVE

Ellen Ochoa es **la** primera astronauta de origen hispano

Renuncia **el** Gerente General del argentino Banco de La Pampa, Osvaldo Luis Dadone

28 Sabías que...

▶ **Subraya** el artículo correcto.

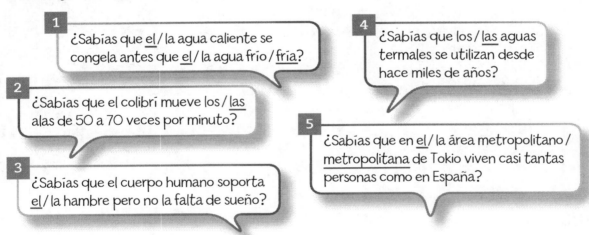

1 ¿Sabías que <u>el</u>/la agua caliente se congela antes que <u>el</u>/la agua frío/<u>fría</u>?

2 ¿Sabías que el colibrí mueve los/<u>las</u> alas de 50 a 70 veces por minuto?

3 ¿Sabías que el cuerpo humano soporta <u>el</u>/la hambre pero no la falta de sueño?

4 ¿Sabías que los/<u>las</u> aguas termales se utilizan desde hace miles de años?

5 ¿Sabías que en <u>el</u>/la área metropolitano/<u>metropolitana</u> de Tokio viven casi tantas personas como en España?

29 Cuestiones personales

▶ **Completa** cada oración.

1. __El__ problema más importante que tengo ahora es __que no tengo tiempo__ .

2. __La__ foto que llevo en mi cartera o cuaderno es __la de mi novia__ .

3. __La__ modelo que más me gusta es __Adriana Lima__ .

4. Me gusta __el__ clima que hace en __California__ .

5. Todas las semanas veo __el__ programa de televisión *Family Guy* .

Nombre: _____   **Fecha:** _____

30 Autoanálisis

ANSWERS WILL VARY

▶ **Marca** los adjetivos que describen tus cualidades.

☑ amable   ☐ ambicioso(a)   ☐ eficiente   ☐ emprendedor(a)

☐ exigente   ☑ organizado(a)   ☑ responsable   ☑ creativo(a)

ANSWERS WILL VARY

▶ Ahora, **explica.** ¿Por qué eres así?

Modelo: *Soy una persona muy responsable porque siempre hago mis tareas y siempre cumplo con mis obligaciones.*

Soy una persona creativa porque tengo mucha imaginación. También soy amable porque siempre estoy dispuesto a ayudar a los demás. Y soy muy organizado porque no me gusta perder tiempo buscando las cosas.

31 Tu profesión favorita

ANSWERS WILL VARY

▶ **Escribe** un poema en forma de diamante sobre la profesión que te gustaría tener de mayor. Sigue las instrucciones y fíjate en el modelo.

Mi profesión

Verso 1: una profesión

Versos 2 y 3: cuatro cualidades que tengas

Verso 4: tres verbos

Periodista.
Emprendedora, responsable,
eficiente, inteligente.
Entrevistar, investigar,
informar.

Bombero.

Responsable, eficiente,

amable, exigente.

Ayudar, proteger, rescatar.

32 Ofertas de empleo

▶ **Escribe** el anuncio de trabajo que te gustaría encontrar si buscaras empleo.

Se busca _una arquitecta que sea creativa y que esté especializada_

en arquitectura ecológica. .

Los requisitos son _que tenga experiencia en eficiencia energética_

y en energías alternativas, y que pueda trabajar jornada completa.

33 Crítico de cine

▶ **Subraya** los tres errores del texto.

CORREGIR

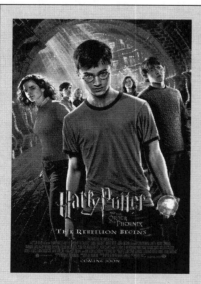

Harry Potter

Las películas de *Harry Potter* están basadas en las novelas escribió Joanne Kathleen Rowling, la famosa escritora inglesa. Las películas recrean la drama intenso entre Harry Potter y su enemigo Voldemort.

Harry Potter es un joven que está aprendiendo a ser brujo *(wizard)*. El problema más grande en su vida es Lord Voldemort, un brujo malvado.

Y su principal dilema es cómo luchar contra Lord Voldemort. Afortunadamente para Harry, el profesor Dumbledore es el modelo de cómo debe ser un buen brujo. Dumbledore es el director de Hogwarts, la escuela para brujos.

Daniel Radcliffe es el actor que hace el papel de Harry Potter. Sus fieles amigos, Hermione Granger y Ron Weasley, que siempre lo acompañan, están interpretados por la actora Emma Watson y por el actor Rupert Grint.

Nombre: _____ **Fecha:** _____

VOLUNTARIADO Y TRABAJO COMUNITARIO

la convivencia	*coexistence*	**Acciones**
la cooperación	*cooperation*	atender a personas mayores *to attend to the elderly*
los deberes	*duties*	
los derechos humanos	*human rights*	colaborar *to collaborate*
la integración	*integration*	convivir *to coexist*
la organización	*organization*	cooperar *to cooperate*
la solidaridad	*solidarity*	proteger *to protect*
la tolerancia	*tolerance*	
el/la ciudadano(a)	*citizen*	
el/la cooperante	*aid worker*	
el/la voluntario(a)	*volunteer*	
comprometido(a)	*committed*	

> Yo trabajo como **voluntaria** en una ONG.

34 Definiciones

▶ **Relaciona** cada palabra con su definición correspondiente.

A

1. voluntario(a)
2. deberes
3. proteger
4. cooperante
5. organización
6. convivir

B

a. Persona que trabaja con otra persona u organización para conseguir un mismo objetivo.
b. Asociación de personas.
c. Persona que participa en una actividad sin obligación y sin recibir un sueldo.
d. Hacer vida en compañía de otras personas.
e. Ayudar y evitar daños a personas o cosas.
f. Obligaciones que tienen las personas o empresas.

▶ Ahora, **escribe** una definición para estas palabras.

1. Solidaridad: <u>unirse a la causa de otros.</u>

2. Tolerancia: <u>respeto hacia los demás.</u>

3. Integración: <u>adaptarse a un grupo.</u>

35 Recordar palabras

▶ **Elige** las tres palabras que más te cueste recordar del cuadro de vocabulario y escribe una oración con cada una de ellas.

1. Una buena convivencia es importante en la pareja.

2. Mi vecino fue cooperante de la Cruz Roja.

3. Es necesario mejorar la integración de los inmigrantes.

36 Objetivos de las ONG

▶ **Completa** el texto con las palabras del recuadro.

Objetivos de las ONG

El principal objetivo de las _organizaciones_ no gubernamentales es cubrir las necesidades de grupos desfavorecidos mediante acciones _comprometidas_ de los miembros que las componen. Entre estas acciones están:

- _Atender_ a personas en situaciones de emergencia.
- Realizar trabajos de promoción, _integración_ y desarrollo.
- Realizar tareas educativas.
- Fomentar la _solidaridad_ y el voluntariado.

atender
solidaridad
organizaciones
integración
comprometidas

37 Crucigrama

▶ **Completa** el crucigrama.

HORIZONTAL

1. El 10 de diciembre de 1948 se redactó la Declaración Universal de ... Humanos.

2. Uno de los ... del voluntario es el de formarse en la actividad que va a realizar.

3. Esta ONG ... a personas mayores y enfermos de estos pueblos.

VERTICAL

4. Sofía Vergara es una persona ... con su comunidad.

5. ONG es la sigla de ... no gubernamental.

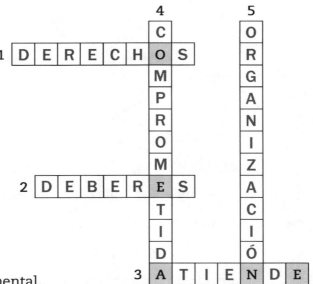

Nombre: _____   **Fecha:** _____

EXPRESAR SENTIMIENTOS

Verbos para expresar sentimientos

aburrir	dar miedo	divertir	enojar	molestar
alegrar	dar pena	emocionar	extrañar	preocupar
asustar	deprimir	enfadar	fascinar	sorprender

El infinitivo y el subjuntivo para expresar sentimientos

The main clause and the dependent clause refer to the same person.	infinitive
The main clause and the dependent clause refer to different people.	**que** + subjunctive

> **Nos alegra ayudar** a proteger el medio ambiente.

Me alegra colaborar con esta organización.

Me alegra que colabores con esta organización.

¿Presente o pasado?

Me alegra (*present*) que **colabores** (*present subjunctive*) con una ONG.

Me alegró (*preterite*) que **colaboraras** (*imperfect subjunctive*) con una ONG.

---

38   **Sentimientos**

▶ **Selecciona** un elemento de cada caja para formar cinco oraciones.

A mí	me
A ti	te
A mi profesora	le
A mi hermano y a mí	nos
A mis amigos	les

aburre
alegra
da miedo
da pena
divierte
molesta
preocupa
sorprende

perder en un juego.
ayudar a los demás.
que los gobiernos no cooperen con las ONG.
ver un partido de tenis.
que la gente no recicle.
que la gente no sea solidaria.
que mis amigos sean voluntarios en una ONG.

1. _A mí me molesta que la gente no recicle._

2. _A ti te preocupa perder en un juego._

3. _A mi profesora le da pena que la gente no sea solidaria._

4. _A mi hermano y a mí nos divierte ver un partido de tenis._

5. _A mis amigos les alegra ayudar a los demás._

39 **Problemas**

▶ **Escribe** la información en una sola oración.

1. No hay agua potable (*drinking water*). Eso enoja a los médicos.

   A los médicos les enoja que no haya agua potable.

2. Las personas mayores no pueden cuidarse. Eso me da pena.

   A mí me da pena que las personas mayores no puedan cuidarse.

3. Las casas no tienen electricidad. Eso preocupa al gobierno.

   Al gobierno le preocupa que las casas no tengan electricidad.

4. Los niños no van a la escuela. Eso molesta a los padres.

   A los padres les molesta que los niños no vayan a la escuela.

5. Los transportes funcionan mal. Eso enfada a las familias.

   A las familias les enfada que los transportes funcionen mal.

40 **Tus sentimientos**

▶ **Escribe** los sentimientos que te producen estas imágenes.

ANSWERS WILL VARY

1

Me enoja que se contamine el agua.

2

Me emociona que se enseñe a leer a los niños.

3

Me preocupa que haya tanta basura.

4

Me fascina que la gente participe en estos proyectos.

5

Me alegra que los millonarios cooperen.

Nombre: ....   **Fecha:** ....

EXPRESAR DIFICULTAD

We use **aunque** *and* **a pesar de (que)** *to provide information about an obstacle or difficulty in a given action.*

> **Aunque** sea difícil, hay que proteger el medio ambiente.
>
> **A pesar de que** no tengo mucho tiempo, colaboro con una ONG.

¿Subjuntivo o indicativo?

Aunque **A pesar de (que)**	+ indicative (when referring to real situations).
	+ subjunctive (when referring to unreal or uncertain situations, probabilities, or unknown outcomes).

> Seré voluntario, aunque no **tengo** tiempo.
>
> Seré voluntario, aunque no **tenga** tiempo.

Aunque tuviera dinero, no me lo compraría.

---

41 **Dificultades**

▶ **Forma** una oración con cada grupo de palabras.

1	2	3	4
aunque	atendía a	sea	no
cueste	personas	aunque	a pesar de que
nos	aunque	difícil	trabaja
hay	mayores	ser	va
reciclar	cansada	hay que	en la ONG
que	estuviera	con los demás	a las reuniones
		tolerante	

1. <u>Aunque nos cueste, hay que reciclar.</u>

2. <u>Aunque estuviera cansada, atendía a personas mayores.</u>

3. <u>Hay que ser tolerante con los demás, aunque sea difícil.</u>

4. <u>A pesar de que no trabaja en la ONG, va a las reuniones.</u>

42 **¿Indicativo o subjuntivo?**

▶ **Completa** estas oraciones con indicativo o subjuntivo según la información que tienes.

1. Aunque no (tener, nosotros) __tengamos__ mucho tiempo, es muy importante colaborar con las ONG.
   [No sé si tenemos tiempo o no]

2. Aunque la situación en ese país (ser) __era__ muy difícil, Rebeca decidió irse de cooperante.
   [Sé que la situación era muy difícil]

3. Seguiremos trabajando en muchos países aunque sus gobiernos no (cooperar) __cooperen__ con nosotros.
   [No sé si van a cooperar o no]

4. A pesar de que no (ganar) __gana__ mucho dinero, colabora con varias ONG y participa en obras benéficas.
   [Sé cuánto gana]

43 **Análisis de la situación**

▶ **Transforma** estas oraciones en una usando *aunque* o *a pesar de que*.

1. Los cooperantes solo tienen material para construir un pozo (*well*). Tienen que construir 100 pozos en toda la comunidad.

   __Los cooperantes tienen material para construir un pozo, aunque tienen que construir 100 pozos en toda la comunidad.__

2. Los médicos tienen que vacunar a los niños. Las vacunas (*vaccines*) no llegan al pueblo.

   __Los médicos tienen que vacunar a los niños, a pesar de que las vacunas no lleguen al pueblo.__

3. Hay dos profesores cooperantes para dar clase a los niños. No hay escuelas.

   __Aunque no hay escuelas, hay dos profesores cooperantes para dar clases a los niños.__

4. Los cooperantes tienen una computadora. No hay conexión a Internet.

   __Los cooperantes tienen una computadora, a pesar de que no hay conexión a Internet.__

5. Muchos ciudadanos donan (*donate*) dinero. Nunca hay dinero suficiente.

   __Muchos ciudadanos donan dinero, aunque nunca haya dinero suficiente.__

Nombre: _____   Fecha: _____

44 **UNICEF**

▶ **Lee** el texto y decide si las oraciones son ciertas (C) o falsas (F).

UNICEF

El Fondo de Naciones Unidas para la Infancia (UNICEF) fue creado por la Asamblea General de las Naciones Unidas en 1946.

UNICEF es la principal organización internacional que trabaja para defender los derechos de la infancia y conseguir cambios reales en las vidas de millones de niños.

UNICEF trabaja en más de 190 países, lo que la convierte en la organización líder a nivel mundial dedicada a la defensa y protección de los niños.

UNICEF proporciona alimento, ropa y atención médica a los niños de todo el mundo (es el mayor proveedor de vacunas para los países en desarrollo). Trabaja para mejorar la salud y la nutrición de la infancia, el abastecimiento de agua y el saneamiento de calidad, la educación básica para todos los niños y niñas y su protección contra la violencia y la explotación.

UNICEF recibió el Premio Nobel de la Paz en 1965 y el Premio Príncipe de Asturias de la Concordia en 2006.

1. UNICEF fue creada para defender los derechos de niños y adolescentes. C (F)
2. El único objetivo de UNICEF es mejorar la salud de los niños. C (F)
3. UNICEF es la organización que más vacunas suministra a los países en los que desarrolla su trabajo. (C) F
4. UNICEF también trabaja para garantizar la educación básica de los niños. (C) F
5. Otro de los objetivos de UNICEF es reducir la malnutrición. (C) F

ANSWERS WILL VARY

▶ Ahora, **corrige** las afirmaciones falsas.

1. _UNICEF fue creada para defender los derechos de los niños._

2. _UNICEF tiene varios objetivos._

45 Una ONG importante

▶ **Completa** esta ficha con información sobre alguna ONG u organización que conozcas.

> Nombre de la ONG: _Médicos Sin Fronteras_
>
> Objetivos: _Brindar ayuda médica y humanitaria a víctimas_
> _de desastres naturales, epidemias, conflictos armados, etc._
>
> Ejemplos de cómo logra sus objetivos: _En Colombia, esta ONG ofrece_
> _ayuda médica a personas afectadas por la violencia y el conflicto_
> _armado._
>
> Dificultades a las que se enfrenta: _La inseguridad que sufren sus_
> _cooperantes en algunas de las regiones en las que trabajan._

46 ¡Hazte voluntario!

▶ **Escribe** oraciones como las del modelo para animar a tus compañeros(as) a estar más comprometidos(as) con los problemas de tu comunidad o con el medio ambiente. Haz un cartel con las oraciones y añade fotos o dibujos para decorarlo.

Modelo: *Aunque te moleste reciclar, hazlo porque es muy importante proteger el medio ambiente.*

¿Te preocupan los problemas de tu comunidad? Colabora con alguna organización.

A pesar de que nos cueste ahorrar energía, debemos hacerlo porque es importantísimo para el medio ambiente.

¿Quieres sentirte bien contigo mismo? Coopera con alguna ONG.

Aunque sea difícil, debemos ahorrar agua.

Nombre: _____ **Fecha:** _____

47 **El medio ambiente**

▶ **Completa** estas opiniones sobre el medio ambiente poniendo los verbos en el tiempo de indicativo o de subjuntivo que corresponda.

1. Es evidente que todos nosotros (deber) __debemos__ usar el transporte público.

2. Me molesta mucho que la gente no (reciclar) __recicle__ .

3. Es obvio que (ser) __es__ muy importante enseñar a los niños a cuidar el medio ambiente.

4. Me alegra que la gente (comenzar) __comience__ a utilizar un combustible ecológico o energías alternativas no contaminantes.

5. Es necesario que todos nos (acostumbrar) __acostumbremos__ a apagar las luces cuando no las necesitamos.

6. Me enoja que la gente (ir) __vaya__ en coche a comprar el periódico al quiosco que está a cinco minutos de su casa.

48 **Cooperante nerviosa**

▶ **Completa** la intervención de este foro con las palabras del recuadro.

aunque	segura	miedo	atender	pesar
asusta	cooperante	llevara	convivencia	computadora

El foro del cooperante
Mensaje
Publicado: 28 jun, 3:12
Hola a todos. Necesito su ayuda. La semana que viene me voy de __cooperante__ a Ecuador. __Aunque__ tengo todo preparado, estoy muy nerviosa. Me preocupan muchas cosas. Por ejemplo, me da __miedo__ no entender a los niños con los que voy a trabajar y no __atender__ los bien por este motivo. Me __asusta__ ponerme enferma. Me preocupa que la __convivencia__ con los otros cooperantes sea difícil. A __pesar__ de que me aconsejaron que __llevara__ ropa cómoda, me da miedo que no sea adecuada. Tampoco estoy __segura__ de que la __computadora__ vaya a funcionar, así que no sé si podré estar en contacto con mi familia.

49 El perfil del voluntario

▶ **Escribe** las características ideales (cualidades, sentimientos, etc.) que crees que tiene que tener un voluntario.

El voluntario debe ser amable, tolerante,

organizado y trabajador. También debe saber

escuchar y ser comprensivo. Debe ser una

persona comprometida con su comunidad y le

debe preocupar lo que ocurre en la sociedad.

50 Se busca...

▶ **Imagina** que en tu escuela quieren poner en marcha un programa para que estudiantes voluntarios ayuden a compañeros con problemas. Completa este cartel con información sobre el programa y sobre las personas que necesitan.

Programa de estudiantes ayudantes

¿Te preocupa que _haya compañeros con_

dificultades académicas ?

Con el *Programa de estudiantes ayudantes* queremos

ayudar a esas personas a que mejoren

en sus clases .

Necesitamos personas que _sean entusiastas y les guste_

la enseñanza

.

Pon aquí una
foto relacionada
con el tema.

Nombre: .... **Fecha:** ....

51 **Turismo sostenible**

▶ **Completa** estas recomendaciones conjugando los verbos de las cajas.

| ser | seguir | ofrecer | descubrir |

| proteger | encontrar | respetar | utilizar |

Recomendaciones para un turismo sostenible

Estas recomendaciones tienen el objetivo de crear ciudadanos comprometidos que _protejan_ el medio ambiente durante sus vacaciones de verano.

Te aconsejamos que _sigas_ estos consejos para conseguir entre todos un planeta más saludable y solidario.

1. Cuando organices tu viaje, busca hoteles y alojamientos que _respeten_ los derechos humanos y el medio ambiente.

2. Te aconsejamos que _utilices_ los recursos naturales, como el agua, con moderación: protegerás el medio ambiente.

3. Cuando tengas que tirar basura, es posible que en algunos sitios no _encuentres_ el lugar apropiado, así que intenta hacerlo de la manera más limpia posible.

4. Cuando compres regalos y recuerdos, busca productos que _sean_ locales. Ayudarás a la economía de los pueblos que estás visitando.

5. Aunque alguien te _ofrezca_ plantas o animales protegidos, no los compres. Es un delito (*a crime*) y lleva a su extinción.

6. Interésate por la cultura, las costumbres, la comida y las tradiciones locales. Estamos convencidos de que _descubrirás_ muchas cosas nuevas.

52 **Shakira y los niños de Colombia**

▶ **Lee** este texto sobre la Fundación Pies Descalzos y contesta las preguntas.

Fundación Pies Descalzos

La Fundación Pies Descalzos nació en Barranquilla (Colombia) a finales de los años 90, cuando Shakira decidió colaborar con el impulso de la educación, la nutrición y la salud de los niños y las niñas de su país.

Para esta fundación, la educación es el motor y la clave para la construcción de un mundo mejor. Por esta razón, tiene programas para la dotación (*funding*) y construcción de escuelas y para la formación de profesores y directivos.

Gracias a la cooperación entre las secretarías de Salud, Cultura y Desarrollo Social, universidades públicas y privadas, cooperantes y voluntarios nacionales e internacionales, los niños, niñas y jóvenes amplían su educación a otras dimensiones como la formación ciudadana, que les permite convertirse en seres humanos comprometidos con el futuro de su país.

La alimentación es otro de los objetivos de esta fundación. El programa Seguridad alimentaria tiene el objetivo de mejorar la alimentación de los estudiantes gracias al restaurante escolar.

A través del programa Escuelas abiertas, las escuelas de Pies Descalzos ofrecen sus instalaciones a toda la comunidad. Así, miles de niños, jóvenes y adultos tienen la posibilidad de encontrarse en ambientes sanos y creativos.

Texto basado en: http://www.fundacionpiesdescalzos.com.

---

1. ¿Cuántos años lleva trabajando la Fundación Pies Descalzos?

   Lleva trabajando casi 15 años, desde finales de los años 90.

2. ¿Cuáles son los objetivos de esta fundación?

   La educación, la nutrición y la salud de los niños y niñas

   de Colombia.

3. ¿Qué programas realizan para intentar cumplir sus objetivos?

   Tiene un programa de seguridad alimentaria y otro de escuelas

   que ofrecen sus instalaciones a la comunidad.

4. ¿Es cierto que toda la comunidad colabora con esta ONG? ¿Cómo?

   Sí, por la cooperación entre las secretarías de Salud, Cultura y

   Desarrollo Social; universidades, cooperantes y voluntarios.

El juego del conocimiento

Nombre: _____ **Fecha:** _____

¿Puedes completar cada oración en menos de 10 segundos? Suma 2 puntos por cada oración correcta y resta 1 punto por los errores de concordancia.

⚑ DESAFÍO 1

1 Me gustaría ser **científico** y descubrir el remedio de alguna enfermedad.

2 No estoy segura de que los bomberos puedan **apagar** el incendio.

3 Mi profesora nos pidió que **fuéramos** puntuales el día del examen.

⚑ DESAFÍO 2

4 Tengo que **imprimir** mi trabajo de Ciencias porque tengo que entregarlo mañana.

5 Busco una universidad que **tenga** una facultad de Medicina.

6 **Las** aguas de estos ríos están muy contaminad**as**.

⚑ DESAFÍO 3

7 Patricia trabajó como **voluntaria** en una ONG en Guatemala. Es una persona muy **comprometida**.

8 Me alegra que **haya** gente que proteja el medio ambiente.

9 **Aunque** no tenga mucho tiempo, quiero colaborar con una ONG.

Cultura

Un concurso

Contesta las siguientes preguntas. Suma 10 puntos por cada respuesta correcta.

Preguntas

1. ¿Qué poeta famoso estudió en la UCh?

   Pablo Neruda.

2. ¿Por qué la universidad de Chile es conocida también como «la Casa de Bello»?

   En honor a su primer rector, el humanista Andrés Bello.

3. Nombra una universidad fundada en las Américas en el siglo XVI.

   La Universidad de Santo Tomás de Aquino.

4. ¿Cuál es la universidad más antigua de los Estados Unidos?

   La Universidad de Harvard.

5. ¿La sede de qué universidad ha sido declarada por la UNESCO Patrimonio de la Humanidad?

   La sede de la Universidad de Alcalá.

6. ¿Quién es Ana María Cetto? ¿Qué estudió?

   Es subdirectora del OIEA. Estudió Física.

7. ¿Cómo se llama el autor de la primera gramática de la lengua española? ¿Dónde estudió?

   Antonio de Nebrija. Estudió en la Universidad de Alcalá.

Respuestas correctas = _____

Total de puntos = _____

Nombre: _____   **Fecha:** _____

1   Los deportes

ANSWERS WILL VARY

▶ **Marca** los deportes que se practican en tu escuela.

- ☑ el baloncesto
- ☑ el béisbol
- ☐ el esquí
- ☑ el fútbol
- ☑ la gimnasia
- ☐ el golf
- ☑ la natación
- ☐ el senderismo
- ☐ el tenis
- ☑ el voleibol

ANSWERS WILL VARY

▶ **Clasifica** los deportes anteriores. Un deporte puede estar en dos casillas.

INDIVIDUAL	DE EQUIPO	DE PELOTA
esquí natación gimnasia senderismo golf tenis	baloncesto fútbol béisbol voleibol	baloncesto golf béisbol tenis fútbol voleibol

2   Los deportes y tú

ANSWERS WILL VARY

▶ **Contesta** este test.

¿Eres deportista?

1. ¿Practicas alguno de estos deportes?
   - ☑ baloncesto
   - ☐ béisbol
   - ☐ esquí
   - ☑ fútbol
   - ☑ tenis
   - ☐ voleibol
   - ☐ natación
   - ☐ golf
   - ☐ esquí

2. ¿Por qué practicas ese deporte?
   - ☑ Para estar en forma.
   - ☐ Porque dan clases en mi escuela.
   - ☐ Porque lo practican mis amigos(as).
   - ☑ Porque soy muy bueno(a).
   - ☑ Porque es divertido.
   - ☐ Otro: _____

3. ¿Tienes alguna de estas cosas en tu casa? ¿Cuáles?
   - ☐ un bate
   - ☐ un casco
   - ☐ un guante
   - ☑ una raqueta
   - ☑ una pelota
   - ☑ una bicicleta

4. Cuando juegas a algún deporte, ¿te gusta siempre ganar?
   - ☐ Sí, siempre.
   - ☑ No, para mí lo importante es divertirme.

3 De vacaciones

▶ **Numera** los pasos según el orden que solemos seguir cuando vamos de viaje.

__4__ ir al aeropuerto

__7__ hacer escala

__2__ comprar el boleto de avión y reservar un hotel

__11__ hacer turismo

__5__ facturar el equipaje

__8__ llegar al destino

__10__ preguntar por excursiones

__3__ hacer el equipaje

__1__ ir a la agencia de viajes

__9__ ir a la oficina de turismo

__6__ subir al avión

EXPRESIONES ÚTILES

4 ¿Acuerdo o desacuerdo?

▶ **Escribe** estas expresiones en el lugar correspondiente de la tabla.

Yo pienso lo mismo.

¿Tú crees?

Sí, yo tampoco.

Sin duda.

A mí sí.

Bueno, depende...

¡Qué va!

Si tú lo dices...

Creo que te equivocas.

EXPRESAR ACUERDO	EXPRESAR DESACUERDO	MOSTRAR DUDA Y ESCEPTICISMO
Yo pienso lo mismo.	A mí sí.	¿Tú crees?
Sí, yo tampoco.	¡Qué va!	Bueno, depende…
Sin duda.	Creo que te equivocas.	Si tú lo dices…

5 Y tú, ¿qué opinas?

▶ **Escribe** tu reacción a estas opiniones.

ANSWERS WILL VARY

Cuando se juega a un deporte, siempre hay que pensar en ganar.

En absoluto.

Creo que el golf es el deporte más aburrido del mundo.

Yo pienso lo mismo.

Nombre: ....   **Fecha:** ....

OCIO Y ESPECTÁCULOS

Cine y teatro

la audiencia	audience
el auditorio	auditorium
el boleto	ticket
la butaca	seat
la cartelera	entertainment guide
el escenario	stage
la fila	line
la función	performance
el musical	musical
el pasillo	aisle
el/la protagonista	main character
el público	audience, public
la sala de cine	(movie) theater
la taquilla	box office
el telón	curtain

Acciones

aplaudir	to applaud
estrenar	to open

Otros espectáculos

el ballet	ballet
el circo	circus
el concierto	concert
la ópera	opera

La película...

cómica	comedy
de acción/aventura	action/adventure
de ciencia ficción	science fiction
de dibujos animados	animated
de suspenso	thriller
de terror	horror
dramática	drama
policíaca	detective
romántica	romance

Nos encantan las **películas de terror.**

6 De película

▶ **Escribe.** ¿Qué clase de película pueden estar viendo?

1

de dibujos animados

3

cómica

2

de acción

4

romántica

romántica

de acción

de dibujos animados

cómica

7 Espectáculos

▶ **Relaciona** cada oración con la fotografía correspondiente.

1. Sus conciertos tuvieron mucho éxito y acercaron la ópera a un público más amplio. **A**

2. «Me emocioné cuando el público aplaudió», dijo el cantante. **B**

3. Los grandes musicales de Broadway volverán el año que viene a los escenarios de Buenos Aires. **D**

4. «Cuando se cierra el telón y oigo los aplausos, es el momento más feliz del día», dijo la cantante. **C**

8 Tu espectáculo favorito

▶ **Numera** estos espectáculos del 1 al 6 para indicar tu orden de preferencia.

__5__ el *ballet*　　　__2__ el circo　　　__3__ la ópera

__1__ el cine　　　__6__ los musicales　　　__4__ el teatro

9 Una tarde de cine

▶ **Completa** el texto con las palabras del recuadro.

taquillas	película	protagonista	fila	sala	pasillo
boleto	acción	butacas	cartelera	estrenado	

Ayer por la tarde estaba aburrido en casa y decidí ir a ver una __película__ al cine. Miré la __cartelera__ en Internet y escogí una de __acción__ que habían __estrenado__ la semana pasada. El __protagonista__ era Tom Cruise.

Cuando llegué al cine, había mucha gente en las __taquillas__, así que tuve que esperar en la __fila__ más de veinte minutos. ¡Debería haber comprado el __boleto__ por Internet! La __sala__ de cine estaba llena y solo quedaban dos __butacas__ libres. Elegí la que estaba al lado del __pasillo__.

Nombre: _____   **Fecha:** _____

EXPRESAR OPINIÓN

Verbos para expresar opinión

To express a personal opinion you can use structures like the following:

> **Creo** + **que** + esta actriz **es** muy buena.
>
> **No creo** + **que** + esta actriz **sea** muy buena.

El indicativo y el subjuntivo con los verbos de opinión

Construcciones afirmativas	Construcciones negativas
creer imaginar opinar + que + indicative parecer pensar suponer	no creer no parecer + que + subjunctive no pensar

> **Creo que** esa película **es** muy divertida.

---

10 Opiniones

▶ **Lee** este diálogo y marca. ¿Qué película van a ver?

> **GONZALO:** Pienso que debemos ver esta película. Creo que el director y la protagonista son los mejores.
>
> **ANTONIO:** No sé, no creo que a todos nuestros compañeros les gusten las películas de suspenso. Me parece que es mejor elegir esta.
>
> **GONZALO:** Sí, supongo que una película cómica les puede gustar más. ¿Y por qué no esta otra? Opino que una película dramática les puede gustar y los críticos piensan que es una película excelente.
>
> **ANTONIO:** Vale, supongo que algo distinto les puede interesar.

▶ Ahora, **contesta** estas preguntas.

1. ¿Por qué Gonzalo quiere ver *Los otros*?

   Por la protagonista y el director.

2. ¿Por qué Antonio dice que es mejor ver *Mortadelo y Filemón*?

   Porque cree que una película cómica les gustará más.

11 **¿Opinión positiva o negativa?**

▶ **Subraya** la forma correcta de los verbos.

> **Una gran actriz**
>
> **ANA:** Creo que Meryl Streep *es/sea* una actriz excepcional.
>
> **BEATRIZ:** Supongo que *puede/pueda* imitar cualquier acento perfectamente.
>
> **ANA:** No parece que le *cuesta/cueste* ningún esfuerzo, ¿verdad?
>
> **BEATRIZ:** No creo que le *resulta/resulte* tan fácil. Seguro que tiene que ensayar *(rehearse)* mucho.
>
> **ANA:** No parece que *recibe/reciba* tantos papeles *(roles)* de protagonista ahora.
>
> **BEATRIZ:** Supongo que los directores *prefieren/prefieran* actrices más jóvenes.
>
> **ANA:** No pienso que la edad de la actriz *debe/deba* ser tan decisiva.
>
> **BEATRIZ:** Opino que *hay/haya* prejuicios basados en la edad en muchas profesiones.
>
> **ANA:** Sí, pero no creo que *deben/deban* existir.

12 **Opiniones para todos los gustos**

ANSWERS WILL VARY

▶ **Escribe** tus opiniones acerca de lo que dice cada persona.

1 Los músicos de rock son mejores que los que tocan música clásica.

Yo pienso de la misma forma. Creo que **los músicos de rock son los mejores.**

2 Las películas de dibujos animados están hechas solo para niños.

No pienso que sean solo para niños.

3 Los protagonistas de películas de acción suelen ser hombres, no mujeres.

Sí. Parece que es una «tradición».

4 Solo los mejores cantantes pueden cantar ópera.

Sí. Supongo que deben tener muy buena voz.

5 El público no debe aplaudir en la sala de cine.

Creo que pueden aplaudir al final de la película.

Nombre: _____   **Fecha:** _____

FÓRMULAS GRAMATICALES DE CORTESÍA

La cortesía

- *Two common ways of making polite requests in Spanish are using* **por favor**, *and phrasing the request as a question.*

    Pásame la cartelera, **por favor**.

    ¿Me pasas la cartelera**?**

- *Other polite forms of making requests include using the conditional and the imperfect indicative.*

El condicional de cortesía

    ¿**Podrías** ayudarme?

    Me **gustaría** salir un poco antes.

El imperfecto de cortesía

    Quería una butaca en la fila 15.

Quería dos boletos para la película *Los otros*.

13 Sé cortés

▶ **Marca** la oración que sea más cortés en cada caso.

1
a. Dame el libro. ☐   b. ¿Me das el libro? ☑   c. Quiero el libro. ☐

2
a. Me gustaría ayudarte. ☑   b. ¿Ayuda? ☐   c. ¿Necesitas algo? ☐

3
a. Déjame pasar. ☐   b. Me dejas pasar. ☐   c. ¿Me dejas pasar, por favor? ☑

4
a. Dos boletos. ☐   b. Quería dos boletos. ☑   c. Quiero dos boletos. ☐

5
a. ¿Dónde está el cine? ☐   b. Quiero ir al cine, ¿dónde está? ☐   c. ¿Podría decirme dónde está el cine? ☑

14 No hay que ser maleducado

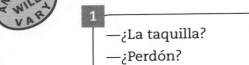

▶ **Expresa** cada petición usando una forma de cortesía.

1

—¿La taquilla?

—¿Perdón?

— **¿Podría decirme dónde está la taquilla?**

2

—Dos boletos.

—¿Cómo dice?

— **Quería dos boletos.**

4

—¿Dónde está la sala de cine?

—¿Cómo?

— **¿Podría decirme dónde está la sala de cine?**

3

—Quiero que las butacas estén en el pasillo.

—¿Perdón?

— **¿Me puede asignar las butacas en el pasillo?**

5

—Me da unas palomitas y un refresco.

—¿Qué quería?

— **Quería unas palomitas y un refresco.**

15 ¿Eres cortés?

▶ **Escribe** una petición cortés para cada una de estas situaciones.

1. Estás en la mesa con tus padres y necesitas que te pasen la sal.

   Mamá, ¿me pasas la sal?

2. Estás en clase de Español y quieres que tu profesor te explique el significado de una palabra.

   ¿Podría explicarme el significado de esa palabra?

3. Estás en el cine y quieres cambiarte a la butaca del pasillo. Pídeselo a tu amigo.

   Francisco, me gustaría cambiarme de butaca.

4. Estás en clase y no encuentras el bolígrafo. Pídeselo a un(a) compañero(a).

   Amalia, préstame el bolígrafo, por favor.

5. Llamas por teléfono para reservar dos boletos para ir al teatro.

   Quería reservar dos boletos.

Nombre: _____   **Fecha:** _____

16 Espectáculos

▶ **Completa** estos textos con las palabras del recuadro.

función	cartelera	estrenos	musical
público	telón	sala	escenarios	películas

Guía del ocio

Consulte los _estrenos_

de todas las _películas_

en su _sala_ de cine

en nuestra _cartelera_ .

El _musical_ Chicago bajará

el _telón_ por última vez en

Madrid después de más de dos años

en los _escenarios_ y con un gran

éxito de _público_ y crítica.

ÚLTIMA _función_

15 de enero

17 Desacuerdo total

▶ Sandra no está de acuerdo con lo que se dice en este blog. **Escribe** la opinión de Sandra.

CRÍTICAS

Sherlock Holmes: Juego de sombras – **Peor que la primera**

Juan Luis Pérez – 18 de enero / 10:00

¿Nueva aventura de Sherlock Holmes? Creo que esta segunda película sobre el famoso detective prometía ser más espectacular y entretenida que la primera, pero al final es solo una copia. Me parece que las escenas de acción son aburridas y pienso que los diálogos entre los dos protagonistas, Robert Downie Jr. y Jude Law, intentan ser graciosos, pero no lo consiguen. Supongo que los productores de esta película querían ganar dinero sin arriesgar mucho. En fin, pienso que no vale la pena perder tu tiempo.

Comentarios

Pues yo no creo que la segunda película **sea tan solo una copia**

de la primera. Pienso que las escenas son muy entretenidas y me

parece que los diálogos son graciosos. Opino que sí vale la pena ver

la película.

_____

18 **El fantasma de la ópera**

▶ **Completa** este resumen. Usa estas palabras.

protagonista	público	óperas	butaca	función	conciertos

El fantasma de la ópera

El fantasma de la ópera se desarrolla en París en la Ópera Garnier.
Los empleados creen que la ópera está encantada por un fantasma
misterioso que provoca muchos accidentes. El fantasma de la ópera en
realidad es un genio de la música que vive en los sótanos del edificio
y que amenaza a los dos gerentes para que le paguen y le reserven
una ___butaca___ privada para los ___conciertos___, ya que
él compone todas las ___óperas___.

Un día la joven cantante Christine Daaé empieza a oír voces y cree que
es el Ángel de la Música enviado por su padre. Christine quiere que el ángel
le enseñe esa música tan hermosa, esa música del cielo. El fantasma decide
enseñársela. Se enamora de Christine y la convierte en la gran
___protagonista___ de la ___función___ principal de la temporada.
Al ___público___ le gusta mucho y la ópera se llena todos los días.
Pero el fantasma está celoso de la relación de Christine con Raúl, un amigo
de la infancia, y el fantasma la invita a visitarlo en su mundo debajo del
edificio. Ella acepta y descubre que no es un ángel, así que el fantasma la
encierra. Al final, decide liberarla si ella vuelve a visitarlo.

19 **Las palabras de los protagonistas**

ANSWERS WILL VARY

▶ **Escribe.** ¿Qué dirían Christine y el fantasma en estas situaciones?

1. Christine quiere que el ángel le enseñe esa música tan hermosa, esa música
del cielo. ¿Cómo se lo puede pedir?

   ___¿Podrías enseñarme esa música tan hermosa?___

2. El fantasma invita a Christine a visitarlo en su mundo debajo del edificio.
¿Cómo se lo puede decir?

   ___¿Me visitas?___

3. El fantasma decide liberar a Christine si ella vuelve a visitarlo. ¿Cómo crees
que se lo pediría?

   ___Vuelve a visitarme, por favor.___

Nombre: _____   **Fecha:** _____

DEPORTES

Competencias

el/la aficionado(a)	*fan, supporter*
el/la campeón(a)	*champion*
el campeonato	*championship*
la cancha/la pista	*court*
la carrera	*race*
la competencia	*competition*
los deportes competitivos	*competitive sports*
el equipo local	*home team*
el equipo visitante	*visiting team*
el estadio	*stadium*
los Juegos Olímpicos	*Olympics*
el marcador	*scoreboard*
el partido	*game, match*
la regata	*boat race*
el tanteo	*score*
la derrota	*defeat*
el empate	*tie*
la victoria	*victory*
el/la ganador(a)	*winner*
el/la perdedor(a)	*loser*

DEPORTES Y DEPORTISTAS

el atletismo	*athletics*
el baloncesto	*basketball*
el ciclismo	*cycling*
el esquí acuático	*water-skiing*
la natación	*swimming*
el remo	*rowing*
la vela	*sailing*
el/la atleta	*athlete*
el/la ciclista	*cyclist*
el/la esquiador(a)	*skier*
el/la surfista	*surfer*
el/la nadador(a)	*swimmer*
el/la navegante	*sailor*

Me gusta mucho el **ciclismo**.

20 Deportes

▶ **Escribe** el nombre del deporte debajo de la foto correspondiente.

1 atletismo

3 ciclismo

5 esquí acuático

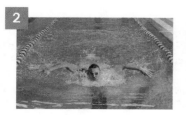

2 natación

4 remo

6 vela

21 Deportistas chilenos

▶ **Completa** esta información sobre deportistas chilenos con las palabras que faltan.

1. Manuel Plaza Reyes fue el __atleta__ que dio la primera medalla olímpica a Chile al llegar segundo en la prueba de maratón.

2. Actualmente un referente del ciclismo chileno es el __ciclista__ Marco Arriagada, quien ha participado en tres Juegos Olímpicos (1996, 2004 y 2008).

3. Aunque Chile tiene buenas condiciones para la práctica del esquí, ningún __esquiador__ chileno ha ganado una medalla en los Juegos Olímpicos.

4. En los Juegos Olímpicos de Atenas 2004 la __nadadora__ Kristel Köbrich quedó entre las 15 mejores del mundo en la prueba de 800 metros libres.

5. El __navegante__ Alberto González logró el segundo oro en la regata final de la categoría Lightning y tiene en su poder siete títulos mundiales.

6. El __surfista__ chileno Ramón Navarro fue quinto en el torneo mundial de olas gigantes celebrado en Hawái.

22 Crucigrama

▶ **Completa** el crucigrama.

```
            7
   6     1 M A R C A D O R
   C       A       8
 2 A F I C I O N A D O S
   M       C       E
 3 E M P A T E     H     R
   E       A       R
   O               R
   N         4 P I S T A
   A               A
 5 E S T A D I O
   O
```

HORIZONTAL

1. Siga los resultados de fútbol minuto a minuto en nuestro ... .

2. El futbolista Cuauhtémoc Blanco es el favorito de los ... .

3. El equipo visitante consigue el ... en el último minuto.

4. Reservé la ... durante una hora.

5. El ... Azteca de la Ciudad de México es uno de los más grandes del mundo.

VERTICAL

6. Hoy presentaron el balón que se utilizará en el ... .

7. Las medidas de una ... de baloncesto son 15 metros de ancho y 28 metros de longitud.

8. Un gran jugador no puede impedir la ... de su equipo.

Nombre: _____　　**Fecha:** _____

EXPRESAR PROBABILIDAD

Expresiones de posibilidad

Quizá(s), tal vez, *and* **a lo mejor** *are used to talk about the possibility or probability of an action taking place.*

Quizá(s)	+ subjunctive (unlikely)	Quizá **vaya** al partido.
Tal vez	+ subjunctive (unlikely)	Tal vez **ganemos** el campeonato.
A lo mejor	+ indicative	A lo mejor **empatamos**.

El futuro de probabilidad

The future tense is sometimes used idiomatically to express conjecture or probability in the present.

　　—¿Qué hora es?

　　—No sé, **serán** las doce...

A lo mejor participo en la carrera del sábado.

23　La ventana indiscreta

ANSWERS WILL VARY

▶ **Escribe** los verbos en el tiempo correcto y completa las frases.

1 　 2 　 3 　 4

1. Alejandra lleva una tabla de surf. A lo mejor (ser) __es surfista__
_____.

2. Andrés está arreglando su bicicleta. Quizá (participar) __participe__
　 __en alguna carrera__ _____.

3. David está haciendo estiramientos. Tal vez (entrenar) __entrene__
　 __para los Juegos Olímpicos__ _____.

4. Luisa está colocando los esquís en su coche. A lo mejor (ir) __va a esquiar__
_____.

24 Sacando conclusiones

▶ **Subraya** la forma verbal correcta en cada oración.

1. Juan juega siempre al baloncesto a esta hora. Tal vez *está*/*esté* en la cancha.

2. Ana no nada los lunes, pero quizás la *encontramos*/*encontremos* en la piscina.

3. Hoy el mar está en calma. Quizás los surfistas no *van*/*vayan* a la playa.

4. Por fin, hace buen día. A lo mejor *comienza*/*comience* la regata.

5. El estadio está vacío. A lo mejor no *hay*/*haya* partido hoy.

6. Todavía no he encontrado mis esquís. Tal vez no *puedo*/*pueda* ir con ustedes.

25 ¿Muy probable o poco probable?

▶ **Subraya** los tres errores del texto. Después, corrígelos.

Dudas para el partido

Cinco de las mejores jugadoras del equipo local de baloncesto femenino están de baja por enfermedad. Quizás sean demasiadas ausencias para ganar. A lo mejor Ana, que estaba mejor ayer, puede jugar en el partido de hoy, pero tal vez Marta y Ángela, ambas con gripe, no vuelven hasta la próxima temporada. Por otra parte, Paula y Marisa no jugaron la semana pasada y quizás siguen de baja. El médico del equipo nos dijo: «Si ninguna tiene fiebre hoy, a lo mejor puedan jugar».

CORREGIR

1. __vuelvan__   2. __sigan__   3. __pueden__

26 ¿Qué estará haciendo?

▶ **Piensa** en tu deportista favorito y contesta estas preguntas.

1. ¿Dónde estará? __Quizás esté en el estadio de fútbol.__

2. ¿Qué estará haciendo? __Estará entrenando con su equipo.__

27 Planes para el verano

▶ **Escribe** sobre tus planes para las próximas vacaciones. Muestra tu grado de confianza en los planes usando el indicativo o el subjuntivo.

__A lo mejor vamos de vacaciones a las montañas, pero quizás__

__mi hermano no venga con nosotros. Él tal vez vaya a la playa con__

__sus amigos.__

Nombre: _____   **Fecha:** _____

EXPRESAR FINALIDAD

El infinitivo y el subjuntivo con expresiones de finalidad

para
a

| + infinitive (when the clauses have the same subject) |
| + **que** + subjunctive (when the clauses have different subjects) |

> Vengo **a darte** el diccionario.

Preguntar sobre la finalidad de una acción

¿Para qué...?
¿A qué...?   + indicative

---

28 Deportes

▶ **Completa** estos diálogos con *para*, *para que* o *para qué*.

1
—¿ __Para qué__ sirve una cancha?

—La cancha sirve __para__ practicar deportes como el tenis.

2
—¿ __Para qué__ sirve el área chica de una cancha de fútbol?

—Sirve __para que__ los jugadores saquen de portería.

3
—¿El guante de béisbol sirve solo __para__ proteger la mano del jugador al capturar la pelota?

—Sí, es solo __para__ eso.

4
—¿ __Para qué__ son esas banderas que se usan en las regatas?

—En cada regata se emplea un sistema de banderas que sirve __para__ comunicarse con los participantes de la regata. __Para__ conocer todas las banderas y su significado puedes buscar en Internet.

29 **Entrenador y deportista**

▶ **Subraya** la opción correcta.

> **ENTRENADOR:** Hola, Francisco. ¿A qué/A vienes hoy al puerto?
>
> **FRANCISCO:** Hola, vengo a que/a verte a ti para que/para me enseñes a hacer esquí acuático.
>
> **ENTRENADOR:** Bueno, primero te voy a dar una clase teórica rápida para que/para aprendas lo más básico y después saldremos al agua.
>
> **FRANCISCO:** Fenomenal. Pues voy a subir al vestuario a que/a cambiarme de ropa, ¿de acuerdo?
>
> **ENTRENADOR:** Vale. Bajaré mientras al barco a que/a comprobar el equipo.

30 **Diario de un ciclista**

▶ **Completa** el texto. Usa la forma apropiada del verbo entre paréntesis.

> **Un día de entrenamiento**
>
> Todos los días entreno para (participar) _participar_ en el campeonato de ciclismo de mi ciudad. Además, mi entrenadora diseñó unos ejercicios especiales para que mis músculos (estar) _estén_ más fuertes. También hago ejercicios de respiración para (mejorar) _mejorar_ la capacidad de mis pulmones.
>
> El día de la carrera tengo que desayunar cereales con leche, yogur y jugo para (tener) _tener_ fuerzas durante la carrera. Además, llevo unas barras energéticas y glucosa líquida para (tomar) _tomar_ durante la carrera y para (evitar) _evitar_ los desfallecimientos (*faint*).
>
>
>
> Voy a cambiar los neumáticos (*tires*) de la bicicleta para que (estar) _estén_ nuevos el día de la carrera.

31 **¿Para qué...?**

▶ **Completa** estas oraciones.

1. Voy a clase de Español para __comunicarme con mis amigos hispanos__ .

2. Animo mucho a mi equipo favorito para que __gane el partido__ .

3. Es bueno practicar algún deporte para __estar en forma__ .

Nombre: _____   **Fecha:** _____

32 Cómo elegir un deporte

▶ **Observa** la tabla y recomienda dos deportes a un(a) amigo(a) tuyo(a). Sigue el modelo.

CRITERIOS ➤ DEPORTES ▼	FACTORES SOCIALES	REQUIERE MUCHA DESTREZA	BUENO PARA EL CORAZÓN	DESARROLLA LOS MÚSCULOS
	5	2	4	3
	2	2	5	4
	3	2	5	3
	1-4	2	5	3
	5	3	4	3

Si buscas un deporte para poder relacionarte con otras personas, quizás los mejores sean el baloncesto y el fútbol. Los dos son deportes muy buenos para el corazón y para desarrollar los músculos. **Si lo que quieres es fortalecer las piernas y los brazos, tal vez debas practicar el remo y el ciclismo. Estos deportes son buenos para desarrollar esos músculos.**

▶ **Escribe.** ¿Cuál de los anteriores es tu deporte favorito? ¿Por qué?

Mi deporte favorito es el baloncesto porque es bueno para el corazón y porque es un deporte de equipo.

33 **Un partido emocionante**

▶ **Completa** este blog sobre un partido con las palabras del recuadro.

victoria	derrota	partido	cancha	perdedores	empate
local	marcador	aficionados	estadio	campeones	visitante

Un partido muy emocionante

Publicado por Iridia Valdez 28/05/2012

El __estadio__ estaba lleno de __aficionados__ muy animados
y con muchas ganas de que empezara el __partido__. Por fin los
jugadores salieron a la __cancha__ y el partido comenzó. Al principio
el equipo __visitante__ anotó varias canastas seguidas de tres puntos,
lo que desanimó mucho a nuestro equipo, pero enseguida nuestros héroes
reaccionaron y al final del segundo cuarto habían conseguido
el __empate__. El tercer cuarto fue más aburrido porque el equipo
__local__ y el visitante defendieron mucho y anotaron pocas
canastas. Pero lo mejor llegó al final. Los últimos segundos fueron
magníficos. Cuando quedaban 10 segundos y con empate en el
__marcador__, el mejor jugador del otro equipo tiró a canasta, pero
la pelota fue interceptada por «superJuan» que fue rápidamente
a la canasta del equipo visitante y consiguió encestar. En la cara
de los __perdedores__ se reflejaba la __derrota__.

¡¡¡¡ __Victoria__ de nuestro equipo!!!! ¡¡¡Somos __campeones__!!!

COMENTARIOS (2)   ENVIAR UN COMENTARIO

Nombre: ....   **Fecha:** ....

VIAJES Y ALOJAMIENTO

Viajes y alojamiento

bien situado(a)	well located
la fecha de entrada/salida	check-in/check-out date
el hotel	hotel
la pensión	rooming house
la plaza disponible	available seat
el retraso/la demora	delay
la temporada alta/baja	high/low season
el viaje de negocios	business trip
el viaje organizado	package tour
el viaje de placer	personal trip
la visa	visa

Viajar en avión

el control de pasaportes	passport control
la línea aérea	airline
el mostrador	counter
la tarjeta de embarque	boarding pass
la terminal	terminal

el vuelo con escala(s)	stopover flight
el vuelo directo	direct flight
el vuelo internacional	international flight
el vuelo nacional	domestic flight
procedente de...	arriving from...
con destino a...	departing for...
cancelar una reserva	to cancel a reservation
confirmar una reserva	to confirm a reservation

Por favor, preparen sus **tarjetas de embarque**.

34 Viajar más barato

▶ **Completa** estos consejos con palabras del cuadro de vocabulario.

Consejos para viajar barato por Europa

1. Si puedes, intenta viajar en otoño o en invierno porque es _temporada_ baja. Todo es más barato y hay menos turistas. En muchos países, julio y agosto son temporada _alta_ y es posible que no puedas tomar un tren o encontrar alojamiento porque no hay plazas _disponibles_.

2. Alójate en _pensiones_, son más baratas que los _hoteles_. E intenta que estén bien _situadas_, así ahorrarás en transporte.

3. Busca líneas _aéreas_ que tengan vuelos baratos. Y si tienes tiempo, los vuelos con _escalas_ en aeropuertos intermedios son más baratos que los vuelos _directos_.

35 En el aeropuerto

▶ **Elige** la palabra correcta para completar estas oraciones.

1. El vuelo 505 con ___destino___ a Caracas va a efectuar su salida.

   (a) destino   b. escala   c. procedente

2. Para un vuelo ___internacional___ debe presentarse en el mostrador de la línea aérea tres horas antes de la salida de su vuelo.

   a. directo   (b) internacional   c. nacional

3. Antes de viajar, es importante conocer el número de la ___terminal___ de salida.

   a. línea aérea   (b) terminal   c. tarjeta de embarque

4. Por favor, lleven preparada la ___tarjeta___ de embarque para enseñársela a los auxiliares de vuelo.

   a. plaza   b. reserva   (c) tarjeta

5. El vuelo 330 ___procedente___ de Miami lleva un retraso de 30 minutos.

   (a) procedente   b. internacional   c. con escala

6. Usted podrá modificar o ___cancelar___ su reserva sin gastos, siempre que lo haga dos días antes de la fecha de salida.

   a. cerrar   b. confirmar   (c) cancelar

36 Tu último viaje

ANSWERS WILL VARY

▶ **Contesta** estas preguntas sobre el último viaje que hiciste en avión. Si tú no has hecho ninguno, pregunta a alguien que conozcas.

1. ¿Adónde fuiste?

   Fui a Andalucía, en el sur de España.

2. Cuando fuiste, ¿era temporada alta o baja?

   Era temporada alta.

3. ¿Era un viaje organizado?

   No, no fue un viaje organizado.

4. ¿Dónde te alojaste?

   En un hotel.

5. ¿Con qué línea aérea volaste?

   Con American Airlines.

6. ¿Era un vuelo directo o tuviste que hacer escala? ¿Dónde?

   Fue un vuelo con escala en Madrid.

Nombre: _____   **Fecha:** _____

EL ESTILO INDIRECTO

Estilo directo y estilo indirecto

Estilo directo	Estilo indirecto
Sandra **dice**: «No **hablo** inglés».	Sandra dice que no **habla** inglés.
Sandra **dijo**: «No **hablo** inglés».	Sandra **dijo** que no **hablaba** inglés.

Verbos útiles

decir	comentar	anunciar	contestar
contar	explicar	preguntar	

El periódico **dice que** van a construir un aeropuerto nuevo.

El indicativo y el subjuntivo en el estilo indirecto

> Information ⟶ indicative

Estilo directo	Estilo indirecto
El periódico **dice**: «Hoy **estrenan** un musical».	El periódico **dice** que hoy **estrenan** un musical.
El periódico **decía**: «El partido es hoy».	El periódico **decía** que el partido **era** hoy.

> Request or command ⟶ subjunctive

Estilo directo	Estilo indirecto
El surfista me **dice**: «Entrena mucho».	El surfista me **dice** que **entrene** mucho.
El surfista nos **dijo**: «No **tengan** miedo».	El surfista nos **dijo** que no **tuviéramos** miedo.

37 **Interpretando instrucciones**

▶ **Completa** cada oración con la forma correcta del verbo subrayado.

1. <u>Quítense</u> los cinturones. ⟶ Dice que nos ___quitemos___ los cinturones.

2. <u>Pongan</u> el abrigo en la bandeja. ⟶ Dice que ___pongamos___ el abrigo aquí.

3. <u>Enséñenme</u> los zapatos ⟶ Dice que le ___enseñemos___ los zapatos.

4. <u>Pasen</u> ustedes por aquí. ⟶ Dice que ___pasemos___ por aquí.

5. <u>Abran</u> la maleta. ⟶ Dice que ___abramos___ la maleta.

6. <u>Recojan</u> todo. ⟶ Dice que ___recojamos___ todo.

38 Dijo que...

▶ **Completa** estas oraciones usando el estilo indirecto.

1. En el mostrador nos dijeron que __nuestro vuelo salía de la terminal dos__.

2. La auxiliar de vuelo dijo que __preparáramos las tarjetas de embarque__.

3. La auxiliar de vuelo pidió a Eva que __se abrochara el cinturón__.

39 Crónica de un viaje

▶ **Resume** las notas que se intercambiaron Tomás y Marta. Usa los verbos *comentar*, *preguntar*, *explicar* y *pedir*.

MARTES 13
Marta, por favor, resérvame una plaza en el vuelo del lunes 18.

MIÉRCOLES 14
Tomás, el lunes hay huelga (*strike*) de pilotos. ¿Reservo plaza para el miércoles 20?

JUEVES 15
Sí, por favor. También va la directora financiera. ¿Puedes reservar dos plazas? Gracias.

VIERNES 16
No hay plazas disponibles.

El martes 13, Tomás pidió a su secretaria que __reservara una plaza en el vuelo del lunes 18__.

El miércoles 14, Marta dijo a Tomás __que había una huelga de pilotos__
y le __preguntó si reservaba para el miércoles 20__.

El jueves 15, Tomás __le comentó que también iba el director financiero__
y le __pidió que reservara dos plazas__.

El viernes 16, Marta __le explicó que ya no había plazas disponibles__.

Nombre: ....   **Fecha:** ....

EXPRESAR LUGAR

El indicativo y el subjuntivo para expresar lugar

donde	+ indicative (known, definite, or real place)
adonde	
de / desde donde	+ subjunctive (unknown, indefinite, or hypothetical place)
por donde	

Preguntar sobre un lugar

¿Dónde está la agencia de viajes?

¿De dónde es el primo de Teresa?

¿Adónde va ese vuelo?

¿Por dónde se va al mostrador?

Perdone, ¿**dónde** está la habitación 116?

---

40 **En la terminal**

▶ **Completa** la conversación. Usa las palabras del recuadro.

adónde	donde	de dónde	por dónde	por donde

PASAJERO: ¿ __Por dónde__ se va al control de pasaportes?

FUNCIONARIO: Tiene usted que volver __por donde__ vino. Está cerca del

mostrador __donde__ le dieron la tarjeta de embarque.

PASAJERO: Su acento me es familiar. ¿ __De dónde__ es usted?

FUNCIONARIO: Soy de Perú. ¿ __Adónde__ viaja usted?

PASAJERO: Voy a Santiago, Chile, a mi casa.

FUNCIONARIO: Bonita ciudad.

---

41 **Preguntas**

▶ **Escribe** preguntas usando las palabras entre paréntesis.

1. (ir/la semana pasada) __¿Adónde fuiste la semana pasada?__

2. (estar/ayer) __¿Dónde estuviste ayer?__

3. (ir/al aeropuerto) __¿Por dónde se va al aeropuerto?__

42 Luna de miel

▶ **Completa** esta conversación poniendo los verbos entre paréntesis en el tiempo y modo correctos.

> **Planes de enamorados**
>
> —¿Vamos luego al restaurante donde (comer) _comimos_ ayer?
>
> —Amor mío, vamos a comer donde tú (querer) _quieras_.
>
> —¿Te gusta ese restaurante desde donde se (ver) _ve_ el mar?
>
> —Sí, amor mío, me gusta cualquier restaurante desde donde se (ver) _vea_ el mar.
>
> —Pues luego llamo para reservar. Me voy a esa calle tan bonita por donde (pasear) _paseamos_ ayer. ¿Quieres acompañarme?
>
> —Amor mío, iré contigo a cualquier calle bonita por donde se (poder) _pueda_ pasear.
>
> —¿Y adónde (querer) _quieres_ que vayamos después de comer?
>
> —Amor mío, ¡iremos adonde nos (llevar) _lleve_ nuestro guía!

43 Un viaje de placer

▶ **Elige** tu opción preferida y contesta las preguntas.

> 1. ¿Adónde quieres viajar?
>   a. A un sitio con playa.   b. A un sitio con montaña.   c. A una ciudad.
> 2. ¿Cómo quieres viajar?
>   a. En coche.   b. En tren.   c. En avión.
> 3. ¿Qué tipo de alojamiento prefieres?
>   a. Un hotel.   b. Una pensión.   c. Un cámping.
> 4. ¿Qué servicios e instalaciones (televisor, wifi, piscina, gimnasio…) te gustaría que tuviera el alojamiento?
>
>   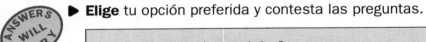 _Me gustaría que tuviera sauna, gimnasio y piscina._
> 5. ¿Qué actividades te gustaría hacer en ese sitio?
>
>   _Me gustaría hacer senderismo y disfrutar de la naturaleza._

▶ **Explica** a la agencia de viajes cómo quieres que sea tu viaje.

Quiero ir a un lugar donde **pueda hacer senderismo. Me gustaría**

quedarme en una habitación desde donde se vean las montañas.

Nombre: _____   **Fecha:** _____

44 La catedral incompleta

▶ **Subraya** la opción correcta.

La catedral *donde* / *adonde* nos encontramos es obra del famoso arquitecto catalán Antonio Gaudí. Está sin terminar y las obras continúan hoy en día.

Durante la Guerra civil española quedó destruido el taller de Gaudí *donde* / *adonde* se encontraban las maquetas y modelos. Por esta razón, no quedaron planos de cómo debía terminarse.

Luego subiremos a las torres, *donde* / *desde donde* se puede apreciar una vista preciosa de la ciudad de Barcelona. Confieso que para mí es una de las vistas más bonitas. En las torres encontrarán unas ventanas *donde* / *por donde* podrán observar las fantásticas columnas con forma de árbol que hacen que el interior de la catedral parezca un bosque.

45 Turista despistado

ANSWERS WILL VARY

▶ Uno de los turistas no ha escuchado bien al guía. **Escribe** un resumen de sus palabras para contárselo.

La catedral del famoso arquitecto Antonio Gaudí está incompleta, y las obras continúan hoy en día. Durante la Guerra civil española se destruyeron los planos de la catedral. Se puede subir a las torres, desde donde se ve la ciudad de Barcelona.

46 **¡Tú eres el guía!**

▶ **Contesta** las preguntas dando información sobre tu ciudad.

1 ¿Por dónde se va al edificio más antiguo?

Por la calle principal que pasa por el centro.

2 ¿Desde dónde se ven las mejores vistas de la ciudad?

Desde el edificio Moctezuma, que está en una colina.

3 ¿Adónde va la gente para divertirse?

Va al centro de la ciudad, donde siempre hay actividades.

4 ¿Dónde está la zona de compras?

Al mercado de artesanía, donde hay objetos muy bonitos.

47 **Problemas en el viaje**

▶ Adriana y Paloma han tenido problemas con su vuelo. **Lee** lo que ha dicho un abogado y completa las palabras de Paloma.

«En vuelos internacionales, si el vuelo se retrasa más de tres horas, la línea aérea tiene que darles comida y refrescos.»

«Si el vuelo se cancela, les tienen que dar comida y alojamiento. Además, les tienen que dar a elegir entre llevarles a su destino o devolverles el precio del billete en 7 días. Aunque les confieso que el pago se suele retrasar bastante.»

«¿Han guardado toda la documentación del viaje: contrato, justificante de la reserva, factura...?»

PALOMA: Hola, Adriana. Ya he hablado con el abogado y me ha dicho que si el vuelo se retrasa más de tres horas, la línea aérea tiene que darnos comida y refrescos. También me comentó que si el vuelo se cancela, nos tienen que dar alojamiento y devolvernos el precio del billete o llevarnos a nuestro destino. Por último, me preguntó si habíamos guardado la documentación .

Nombre: _____ **Fecha:** _____

 48 **Hay que ser educado**

▶ **Escribe** una versión más cortés de este diálogo. Intenta usar verbos de opinión y expresiones de probabilidad.

> ANTONIO: Esta butaca es muy incómoda. Quiero cambiarme.
> LUCÍA: Cámbiate a esta. Está en el pasillo. Es más cómoda.
> ANTONIO: No quiero. Llama al acomodador (usher).
> LUCÍA: Ahora, no. No hables.
> ANTONIO: Quiero que venga.
> LUCÍA: Espera. Voy a llamarlo. Ahora viene el acomodador.

ANTONIO: _¿Podría cambiarme de butaca a una más cómoda?_

LUCÍA: _¿Por qué no te cambias a esta? Quizás sea más cómoda._

ANTONIO: _No sé. Llama al acomodador, por favor._

LUCÍA: _Ahora no puedo. ¿Podrías guardar silencio?_

ANTONIO: _Me gustaría que viniera el acomodador._

LUCÍA: _¿Me esperas? Voy a llamarlo. Parece que ya viene._

 ▶ **Escribe** un resumen de la conversación anterior.

Ayer estuve en el cine y no pude disfrutar de la película porque la pareja que estaba

detrás de mí estuvo hablando todo el tiempo. **Él le dijo que quería cambiarse**

de butaca y ella le dijo que se cambiara a una del pasillo. Luego él le

pidió que llamara al acomodador, pero ella le dijo que no hablara.

Al final, ella llamó al acomodador.

 49 **En la sala de cine**

▶ **Escribe** oraciones para expresarte cortésmente en estas situaciones.

1. Los chicos de la butaca de al lado no paran de hablar.

    ¿Podrían guardar silencio?

2. El niño que está sentado detrás de ti está dando golpes a tu butaca.

    Deja de dar golpes en la butaca, por favor.

50 **Competencia deportiva**

▶ **Fíjate** en la fotografía y escribe tu opinión sobre lo que es. Intenta usar expresiones de probabilidad.

A lo mejor es una competencia de remo. Hay mucha gente, así que quizás sea una competencia muy importante. Tal vez sea una competencia regional. Los competidores estarán nerviosos y emocionados. A lo mejor hay premios para los que terminen en los primeros puestos.

51 **Lugares y requisitos**

▶ **Escribe.** ¿Cómo deben ser los espacios donde se ubiquen estas instalaciones?

1. Un circo debe situarse en un lugar donde el público pueda llegar en transporte público y que tenga un espacio amplio para que pueda aparcar. Debe haber cafés para que la gente pueda comprar refrescos e ir al baño.

2. Un aeropuerto **debe ubicarse donde no viva mucha gente para que el ruido de los aviones no moleste. Pero no debe estar muy lejos para que los viajeros puedan llegar en menos de una hora**.

3. Unas pistas de atletismo **deben situarse en un lugar céntrico para que los aficionados puedan asistir. Deben estar en un estadio preparado para ese tipo de competencias para que los atletas den lo mejor de sí**.

4. Un teatro para unos premios de cine **debe ser grande y tener butacas cómodas para que los espectadores disfruten de las películas. Debe situarse en una zona adonde sea fácil ir desde cualquier parte de la ciudad**.

Español Santillana. Practice Workbook. Unidad 6

Nombre: _____ **Fecha:** _____

52 **El blog en blanco**

▶ **Explica.** ¿Qué es La Noche en Blanco?

Es una noche en la que tienen lugar diversas actividades culturales

y espectáculos.

▶ Ahora, **lee** este blog y corrige tu respuesta. Después, contesta las preguntas.

Noche en Blanco en Lima

Publicado por Un artista 03/05/2012

¡Por fin anunciaron que se celebraba la segunda Noche en Blanco en nuestra ciudad! Es una muy buena noticia, ¿no les parece? Creo que se va a celebrar el 5 de septiembre y me parece que este evento es producido por la Municipalidad de Miraflores.

¿Saben de qué se trata este evento? Pues de una serie de exposiciones, obras de teatro y otros espectáculos (conciertos, películas, *ballet*...) que se organizan en diferentes escenarios de la ciudad para que el público limeño disfrute del arte y pueda ver, escuchar, oír, sentir...

En el periódico dice que para esta Noche en Blanco vendrán muchos artistas. Un gran rumor sin confirmar: se comenta que llegará desde España la fabulosa compañía de teatro La Fura dels Baus. Tal vez presenten su más reciente espectáculo *Doy mi luz*, inspirado en nuestro Inca Garcilaso de la Vega.

Para conocer más información sobre La Noche en Blanco, pueden visitar: Miraflores, La Noche en Blanco, Lima.

COMENTARIOS (2)   ENVIAR UN COMENTARIO

1. ¿Cuándo se va a celebrar La Noche en Blanco en Lima?

   Creo que se va a celebrar el 5 de septiembre.

2. ¿Qué grupo de artistas quizá actúe en La Noche en Blanco?

   Tal vez actúe la compañía de teatro La Fura dels Baus.

53 **Deportes con tradición**

▶ **Lee** lo que dicen estos turistas y escribe el deporte del que hablan.

| el tejo | la charreada |
| el pato | el levantamiento de piedras |

En la oficina de turismo me explicaron que en este deporte los jinetes tienen que dominar el caballo y domar a los toros. Me parece que hace falta mucha destreza para practicarlo, ¿no creen?

1. Este turista a lo mejor está viendo __la charreada__.

Pues el guía nos contó que este deporte es muy competitivo y que los participantes no pueden ayudarse de ningún utensilio, solo de su fuerza. También nos dijo que las hay de diferentes formas y tamaños.

2. Esta turista tal vez esté hablando de__l levantamiento de piedras__.

En el hotel me dijeron que es el deporte nacional y que participan dos equipos de cuatro jugadores cada uno. Creo que cada equipo debe intentar anotar tantos en el aro del equipo contrario. A lo mejor es divertido. ¿Vamos a ver un partido?

3. Este turista quizá saque boletos para ver __el pato__.

Un amigo me dijo que este deporte tiene más de 500 años. Me parece que los jugadores tienen que lanzar ese disco para intentar meterlo en ese aro. Creo que gana el primer jugador que complete primero 27 puntos.

4. Esta turista quizá vaya a ver __el tejo__.

Nombre: .... **Fecha:** ....

Escribe la palabra que describe cada dibujo. Luego, clasifica las palabras en cognados y no cognados.

DESAFÍO 1	la taquilla	el escenario	aplaudir	la ópera
DESAFÍO 2	el / la ciclista	el marcador	el campeón	la cancha
DESAFÍO 3	el hotel	la línea **aérea**	el mostrador	**el control** de pasaportes

A. Cognados		B. No cognados	
Español	**Inglés**	**Español**	**Inglés**
opera	*opera*	taquilla	*box office*
aplaudir	*applaud*	escenario	*stage*
ciclista	*cyclist*	marcador	*scoreboard*
campeón	*champion*	cancha	*court*
hotel	*hotel*	mostrador	*counter*
linea aerea	*airline*		
control de pasaportes	*passport control*		

Cultura

Contesta estas preguntas. Luego escribe las letras numeradas y descubre la respuesta a la pregunta final.

---

1 ¿Cómo se llaman los deportes mexicano y argentino en los que intervienen los caballos?

L A   C H A R R E A D A   Y   E L   P A T O
                                        1   2

---

2 ¿Cómo se llama el viaje cultural para jóvenes que se hace por España y las Américas?

L A   R U T A   Q U E T Z A L
      3

---

3 ¿Qué nombre se da a la noche en la que se organizan espectáculos?

L A   N O C H E   E N   B L A N C O
        4   5

---

4 ¿Qué playa de El Salvador es famosa entre los surfistas?

L A   L I B E R T A D
              6

---

5 ¿Qué premio se entrega en España como homenaje a las grandes figuras del cine?

E L   P R E M I O   D O N O S T I A
                            7

¿Dónde se van a celebrar los Juegos Panamericanos en 2015?

En T O R O N T O
   1 2 3 4 5 6 7

Unidad 7 Por el planeta

Nombre: .... **Fecha:** ....

1 Geografía

▶ **Escribe** la palabra que corresponde a cada elemento del dibujo.

montaña

río

cascada

bosque

lago

árbol

valle

2 Sopa de letras

▶ **Busca** las palabras que corresponden a las fotografías.

A	M	O	N	O	L	E	C	H	T	C
L	O	M	F	P	C	P	H	E	T	A
C	V	B	O	S	O	T	O	C	E	B
O	T	A	H	A	U	R	T	E	S	A
I	F	L	C	N	T	A	E	R	L	L
G	R	A	S	A	Z	V	L	D	R	L
E	V	S	T	A	C	M	I	O	E	O
P	L	O	V	E	J	A	Ñ	D	R	T

3 El tiempo meteorológico

▶ **Elige** la opción correcta para completar cada oración.

1. Cuando está mucho tiempo sin llover, __hay sequía__ .

   (a.) hay sequía   b. hace calor   c. nieva

2. Tiene que __hacer frío__ para que nieve.

   a. hacer viento   (b.) hacer frío   c. llover

3. Cuando está nublado, no siempre __llueve__ .

   a. hace sol   b. hay nubes   (c.) llueve

4 El universo

▶ **Decide** si estas oraciones son ciertas (C) o falsas (F).

1. El Sol es una estrella.   (C)   F
2. Nuestro sistema solar está dentro de la Vía Láctea.   (C)   F
3. Nuestro planeta no es el único que tiene luna.   (C)   F
4. Hay nueve planetas en nuestro sistema solar.   C   (F)
5. La Tierra es el cuarto planeta desde el Sol.   C   (F)

EXPRESIONES ÚTILES

5 Conversaciones diarias

▶ **Lee** estos diálogos y completa la tabla con las expresiones correspondientes.

1

—Elena, ¿qué deseo pedirías ahora mismo?

—Pues… me encantaría que me regalaran un viaje a París. ¿Y tú?

—A mí me gustaría que Ana se enamorara de mí.

2

—Ricardo, no sé cómo funciona esta máquina. ¿Serías tan amable de ayudarme?

—Sí, claro. ¿Podrías, por favor, pasarme las instrucciones?

—Sí, toma. ¿Te importaría también decirme cómo se abre esto?

EXPRESAR EL MODO DE HACER ALGO	EXPRESAR DESEOS	PEDIR ALGO CORTÉSMENTE
no sé cómo	me encantaría que	¿Serías tan amable de?
¿cómo se abre esto?	me gustaría que	¿Podrías, por favor?
		¿Te importaría?

Nombre: .... **Fecha:** ....

EL MEDIO AMBIENTE

el agujero de la capa de ozono	hole in the ozone layer
el cambio climático	climate change
la catástrofe ecológica	ecological catastrophe
la deforestación	deforestation
la ecología	ecology
el ecosistema	ecosystem
el efecto invernadero	greenhouse effect
la energía alternativa	alternative energy
la especie protegida	protected species
la marea negra	oil spill

Acciones

agotarse	to run out
amenazar	to threaten
concienciar	to make aware
denunciar	to report, to denounce
fomentar	to promote, to encourage
reciclar	to recycle
respetar	to respect

MATERIALES Y OBJETOS RECICLABLES

el cartón	cardboard
el envase de plástico	plastic container
la lata	can
el papel	paper
la pila	battery
el vidrio	glass

LA NATURALEZA

Fauna

el anfibio	amphibian
el ave	bird
el insecto	insect
el mamífero	mammal
el reptil	reptile
el pez	fish

Hay que **reciclar** para proteger la naturaleza.

---

6 Catástrofes ecológicas

▶ **Relaciona** para formar oraciones correctas.

A

1. La deforestación
2. Las mareas negras
3. El objetivo del protocolo de Kioto
4. El agujero de la capa de ozono
5. Las principales consecuencias del cambio climático

B

a. es reducir las emisiones de gases causantes del efecto invernadero.

b. son el aumento de las temperaturas y la subida del nivel del mar.

c. es la destrucción de los bosques a manos del hombre.

d. contaminan el hábitat de las especies marinas, las costas y las playas.

e. sigue creciendo porque no se reducen las emisiones de gases.

7 Campañas de concienciación

▶ **Relaciona** cada anuncio con el objetivo correspondiente.

A

B

Usa el viento. La Tierra te lo agradecerá.

C

¡Sálvame!

1. Fomentar el uso de energías alternativas. __B__

2. Denunciar la contaminación que producen. __A__

3. Respetar las especies protegidas. __C__

8 Cada envase en su sitio

▶ **Relaciona** cada palabra con un elemento numerado en el dibujo.

__3__ el plástico

__5__ la lata

__2__ el cartón

__1__ el papel

__6__ el vidrio

__4__ las pilas

9 Fauna

▶ **Relaciona** cada fotografía con la palabra adecuada.

B

C

D

E

A

F

anfibio __B__   insecto __E__   pez __D__

mamífero __A__   ave __F__   reptil __C__

Nombre: _____   Fecha: _____

EXPRESAR CONDICIÓN (I)

Oraciones condicionales reales. El indicativo

Si + present indicative + present indicative / future indicative / command

	Si CLAUSE (condition)	MAIN CLAUSE (result)
To describe general truths or what happens if the condition is met.	Present indicative Si **hay** una marea negra,	Present indicative **mueren** animales.
To express what will happen if the condition is met.	Present indicative Si no **cortamos** árboles,	Future indicative **tendremos** bosques.
To give an order dependent on a condition being met.	Present indicative Si no **respetan** la naturaleza,	Command **póngales** una multa.

Si estudio, apruebo los exámenes.

---

10 Problemas en cadena

▶ **Completa** el texto con la forma apropiada de los verbos entre paréntesis.

> **Problemas medioambientales**
>
> Si seguimos emitiendo gases de efecto invernadero, la contaminación
> no (reducirse) _se reducirá_ . Si seguimos respirando aire
> contaminado, los problemas de salud (aumentar) _aumentarán_ .
> Si el agujero de la capa de ozono sigue creciendo, (haber)
> _habrá_ más casos de cáncer de piel. En resumen, si no
> hacemos algo, nuestra calidad de vida (empeorar) _empeorará_ .

---

11 Consejos útiles

▶ **Subraya** la forma correcta de los verbos.

1. Si quieres ahorrar energía, _reduce_ / reduces la ducha a cinco minutos.

2. Si quieres cuidar la naturaleza, _recicla_ / recicle en casa.

3. Si no quieres contaminar, _usa_ / usas el transporte público.

12 ¿Presente o futuro?

▶ **Completa** estas oraciones poniendo los verbos en presente o en futuro. En algún caso puede haber más de una posibilidad.

1. Si Ana viene a la cena, (poder, yo) __puedo / podré__ volver con ella.

2. Si tengo hambre, (comer, yo) __como__ .

3. Si todos los vecinos quieren, (plantar, yo) __planto / plantaré__ más árboles.

4. Si termino pronto de estudiar, (salir, yo) __saldré__ a dar una vuelta.

5. Si reciclas, (cuidar, tú) __cuidas__ el medio ambiente.

6. Si me dan vacaciones, Julio y yo (ir) __iremos__ a la playa.

13 Proteger el medio ambiente

▶ **Completa** las oraciones. Usa los verbos del recuadro y ponlos en futuro o en imperativo.

aumentar	haber	reciclar	producirse	viajar

1. Si se agotan los recursos naturales, __se producirá__ una catástrofe.

2. Si continúa la contaminación, __aumentará__ la temperatura.

3. Si tienes pilas usadas, __recícla__ las.

4. Si hay un accidente marítimo, __habrá__ una marea negra.

5. Si quieres ahorrar energía, __viaja__ en bicicleta.

14 Lógica pura

▶ **Completa** el diálogo entre Andrés y su madre.

Mamá, tengo sed.

Pues si tienes sed, bebe agua.

Mamá, mañana tengo un examen.

Si __tienes examen__ , __estudia__ .

Mamá, estoy cansado.

Si __estás cansado__ , __descansa un rato__ .

Nombre: _____   **Fecha:** _____

EXPRESAR CONDICIÓN (II)
Oraciones condicionales potenciales. El subjuntivo y el condicional

Si + imperfect subjunctive + conditional

	SI CLAUSE (condition) Imperfect subjunctive	MAIN CLAUSE (result) Conditional
To express an unlikely or hypothetical condition in the present or in the future.	Si **hubiera** más contenedores,	**reciclaría** más.
To express an impossible or contrary-to-fact condition in the present.	Si yo **fuera** un animal,	**sería** un oso.

Si **tuviera** más tiempo, **iría** andando.

15 ¿Un mundo diferente?

▶ **Escribe** CH (condición hipotética o imposible) o CR (condición real).

1. Si desapareciera el agujero en la capa de ozono, sería maravilloso. **CH**

2. Si se controlan más los petroleros, evitaremos las mareas negras. **CR**

3. Si hubiera agua suficiente en la Luna, se podría vivir allí. **CH**

4. Si cuidamos el medio ambiente, viviremos mejor. **CR**

16 ¿Qué harías?

▶ **Ordena** los grupos de palabras para formar una oración y descubre. ¿Qué harían estas personas para proteger el medio ambiente?

1. un gobernante / haría / si / reducir / una ley / las emisiones de gases de efecto invernadero / fuera / para

Isabel: **Si fuera un gobernante, haría una ley para reducir las emisiones de efecto invernadero.**

2. haría / si / campañas de concienciación / más tiempo / por las escuelas / tuviera

Álvaro: **Si tuviera más tiempo, haría campañas de concienciación por las escuelas.**

17 **El blog de Ana**

▶ **Completa** este blog con los verbos del recuadro.

fuera	elegirían	dejaran	llevaría	compraría
permitirían	estuvieran	harían	pediría	

En una isla desierta...

Publicado 28/05/2012

Ayer vi la película *Náufrago* de Tom Hanks y quería preguntarles:

¿qué __harían__ si __estuvieran__ en una isla desierta?

Si les __dejaran__ llevar tres objetos, ¿cuáles __elegirían__ ?

COMENTARIOS (1)

Rodrigo dijo...

Buena pregunta... Si me __fuera__ a una isla desierta,

me __compraría__ una computadora que funcionara con energía

solar, __llevaría__ una caña de pescar para poder comer

y le __pediría__ a mi mejor amigo que me acompañara.

Ya sé que no es un objeto, pero si me fuera a una isla desierta,

yo creo que me __permitirían__ ese deseo, ¿no creen? ☺

ENVIAR UN COMENTARIO

---

18 **Deseos**

ANSWERS WILL VARY

▶ **Pregunta** a estas personas. ¿Qué pedirían si les concedieran un deseo? Escribe sus respuestas.

Si te concedieran ahora mismo un deseo, ¿qué pedirías?

1. Mi madre _querría unas vacaciones en la playa_ .

2. Mi padre _pediría un mejor sueldo en el trabajo_ .

3. Mi mejor amigo(a) _pediría un coche nuevo_ .

4. Mi primo(a) favorito(a) _querría viajar por el mundo_ .

5. Yo _pediría un robot para hacer mis tareas_ .

Nombre: _____   **Fecha:** _____

19 ¡Cuida el planeta!

(ANSWERS WILL VARY)

▶ **Diseña** tres chapas *(pins)* con mensajes ecológicos. Escribe tres frases como la del modelo y haz un dibujo o pon una fotografía para decorar cada una.

Si reciclas, proteges la naturaleza.

Si vas en bicicleta, no contaminas.

Si plantas un árbol, ayudas a la naturaleza.

Si ahorras agua, proteges el planeta.

20 Condiciones personales

(ANSWERS WILL VARY)

▶ **Escribe.** ¿Qué harías en estas situaciones?

1. No tener amigos.

   Si no tuviera amigos, trataría de hacerme amigo de mis compañeros de clase.

2. Tocar la lotería.

   Si me tocara la lotería, viajaría por todo el mundo.

3. Conocer a tu cantante/actor/deportista favorito.

   Si conociera a mi deportista favorito, me haría una foto con él.

4. Caerte en un charco *(puddle)* delante de tus compañeros(as).

   Si me cayera en un charco delante de mis compañeros, me reiría.

21 Un chat ecologista

▶ **Completa** las intervenciones de este chat. Después, escribe tu opinión.

Jennifer dice: 9:55

Hoy en clase de Español hablamos de qué (pasar) **pasará**

si (seguir, nosotros) **seguimos** dañando el planeta, de cuáles

serán las consecuencias. Estuvo muy interesante. ¿Qué piensan ustedes?

Rafael dice: 10:01

Si no (proteger, nosotros) **protegemos** el medio ambiente,

(dañar, nosotros) **dañaremos** más la capa de ozono, (haber)

habrá más deforestación, muchas especies de animales

y plantas (desaparecer) **desaparecerán** ...

Silvia dice: 10:03

Pues mucho daño. Si seguimos así, se (agotar) **agotarán**

los recursos naturales, se (destruir) **destruirán** muchos

ecosistemas, se (producir) **producirá** el cambio climático...

En fin, nuestro planeta se (ir) **irá** destruyendo poco

a poco. Pero todavía estamos a tiempo de salvarlo. Si (reciclar, nosotros)

reciclamos , si se (fomentar) **fomenta** el

uso de energías alternativas, si (cuidar, nosotros) **cuidamos**

las especies protegidas, si (evitar, nosotros) **evitamos** las

catástrofes ecológicas, nuestro planeta se (curar) **curará** .

Anabel **dice:** 10:30

Todo es posible con pequeños pasos. Por ejemplo, si no usamos

tantos productos de papel, los bosques se salvarán. Si compartimos

el coche y si caminamos un poco más, contaminaremos mucho

menos.

Nombre: _____   **Fecha:** _____

EL TIEMPO METEOROLÓGICO

Fenómenos meteorológicos

el arco iris	*rainbow*
el chubasco	*heavy shower*
la escarcha	*frost*
la gota	*drop*
el granizo	*hail*
la nevada	*snowfall*
la nube	*cloud*
el temporal	*storm*
la tormenta	*storm*
el trueno	*thunder*

Acciones

brillar	*to shine*
despejarse	*to clear up*
helar	*to freeze*
llover a cántaros	*to pour (rain)*
lloviznar	*to drizzle*
nublarse	*to cloud over*
soplar el viento	*to blow (wind)*

Está lloviendo a cántaros.

Adjetivos

despejado(a)	*clear*
lluvioso(a)	*rainy*
nuboso(a)	*cloudy*
soleado(a)	*sunny*

EL UNIVERSO

el/la astrónomo(a)	*astronomer*
la constelación	*constellation*
la galaxia	*galaxy*
el meteorito	*meteorite*
el telescopio	*telescope*

22 Fenómenos meteorológicos

▶ **Relaciona** cada foto con una palabra de la lista.

A

D

B

E

C

F

1. las nubes   __B__

2. las gotas   __D__

3. el arco iris   __A__

4. la tormenta   __C__

5. la nevada   __E__

6. el granizo   __F__

23 Crucigrama

▶ **Completa** el crucigrama.

```
1 D E S P E J A R S E⁵
                    S
        4           C
    2 T O R M E N T A
      R             R
      U             C
      E             H
      N             A
3 L L O V I Z N A R
```

HORIZONTAL

1. Desaparecer las nubes del cielo.
2. Fenómeno meteorológico que se caracteriza por fuertes vientos, lluvias y truenos.
3. Llover de forma suave.

VERTICAL

4. Ruido asociado a un relámpago.
5. Agua que se queda por la noche congelada.

24 ¿Qué me pongo hoy?

▶ **Observa** los dibujos y escribe las palabras que faltan.

Si el día está ☼ __despejado__ y __brilla__ el sol, me pondré un pantalón corto, pero si está ☁ __nublado__, me pondré uno largo.

Si está 🌧 __lloviznando__, me pondré el impermeable, pero si está ⛈ __lloviendo__ a __cántaros__, tomaré también el paraguas. Si 🍃 __sopla__ el __viento__, me pondré el abrigo.

25 ¿Qué es?

▶ **Relaciona** para formar definiciones completas.

Ⓐ

1. Un astrónomo
2. Una constelación
3. Una galaxia
4. Un meteorito
5. Un telescopio

Ⓑ

a. es un sistema formado por estrellas, polvo y gas.
b. es un cuerpo sólido que cae sobre la Tierra.
c. es un instrumento que se utiliza para observar cuerpos celestes.
d. es un científico que estudia el universo.
e. es una agrupación de estrellas que forman un dibujo.

Nombre: .... **Fecha:** ....

EXPRESAR TIEMPO

Cuando *is the most frequently used time conjunction in Spanish.*

cuando + indicative	Me llamó **cuando llegó** a casa.
cuando + subjunctive	Llámame **cuando llegues** a casa.

Llámame **cuando lleges**, ¿de acuerdo?

Expresar anterioridad o posterioridad

antes de / **después de**	+ infinitive	Leo un rato en la cama **antes de dormir**. Voy a clase **después de desayunar**.
antes de que	+ subjunctive	Llegaré **antes de que te acuestes**.
después de que	+ subjunctive + indicative	Me iré **después de que terminen** las clases. Ayer vi la televisión **después de que cenamos**.

26 Viaje a la Patagonia

▶ **Subraya** la forma verbal correcta.

Un viaje maravilloso

Cuando *leí / lea* el reportaje del periódico, decidí que mis próximas vacaciones las quería pasar en la Patagonia. Cuando *vi / vea* las fotos de los glaciares, pensé que tenía que visitar aquella maravilla. Antes de *hablar / hablo* con Álex y cuando *tengo / tenga* tiempo, voy a buscar más información en Internet para que, cuando me *pregunta / pregunte*, pueda contarle muchas cosas.

Iremos cuando allí *es / sea* verano y después de que Álex *termina / termine* sus exámenes.

Yo creo que a Álex le va a encantar, aunque no sé cómo va a reaccionar cuando le *digo / diga* las horas de avión. Se lo voy a contar después de *cena / cenar*.

27 **Oraciones**

▶ **Forma** oraciones con estas palabras.

1. Antes de / ir a la cama / cepillarse los dientes

   Antes de ir a la cama, me cepillo los dientes.

2. Después de / cenar / ver la televisión con mis padres

   Después de cenar, veo la televisión con mis padres.

3. Cuando / llamar por teléfono / mi madre / no estar en casa

   Cuando llamé por teléfono, mi madre no estaba en casa.

4. Preparar el almuerzo / antes de que / Juan llegar

   Prepararé el almuerzo antes de que Juan llegue.

5. Después de que / María hablar conmigo / sentirse mejor

   Después de que María habló conmigo, se sintió mejor.

28 **Preguntas indiscretas**

▶ **Completa** las preguntas con la forma apropiada de los verbos del recuadro.

| graduarse | llegar | salir | ser | tener | terminar | conseguir |

1. Antes de ___salir___ de casa, ¿miras el pronóstico del tiempo?

2. Cuando ___eras___ pequeño(a), ¿tenías una computadora?

3. Después de ___graduarte___, ¿qué te gustaría hacer?

4. Cuando ___tengas___ 30 años, ¿dónde te gustaría vivir?

5. Antes de que ___termine___ la escuela, ¿te gustaría hacer algo especial con tus compañeros?

6. Después de ___conseguir___ un trabajo, ¿te gustaría hacer un viaje especial?

7. ¿Qué es lo primero que haces cuando ___llegas___ a casa?

▶ Ahora, **contesta** las preguntas.

1. _Sí, para saber qué ropa ponerme._

2. _Sí, pero no era muy rápida._

3. _Me gustaría estudiar Ingeniería._

4. _Me gustaría vivir en California._

5. _Me gustaría hacer un viaje a un país hispano._

6. _Sí. Me gustaría ir a Tailandia._

7. _Lo primero que hago es ponerme ropa cómoda._

Nombre: _____   **Fecha:** _____

EL PRESENTE PERFECTO DE SUBJUNTIVO

Presente perfecto de subjuntivo. Verbos regulares

	HABLAR	COMER	VIVIR
yo	haya hablado	haya comido	haya vivido
tú	hayas hablado	hayas comido	hayas vivido
usted, él, ella	haya hablado	haya comido	haya vivido
nosotros(as)	hayamos hablado	hayamos comido	hayamos vivido
vosotros(as)	hayáis hablado	hayáis comido	hayáis vivido
ustedes, ellos(as)	hayan hablado	hayan comido	hayan vivido

Llámame cuando **hayas acabado** el examen.
Saldremos cuando **se haya despejado** el día.
No creo que **haya venido**.

Me alegra que **hayas venido.**

29 Una tormenta inoportuna

▶ **Completa** estas oraciones.

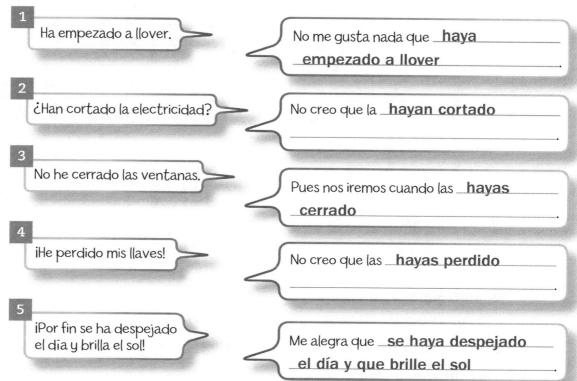

1 Ha empezado a llover.

No me gusta nada que _haya empezado a llover_.

2 ¿Han cortado la electricidad?

No creo que la _hayan cortado_.

3 No he cerrado las ventanas.

Pues nos iremos cuando las _hayas cerrado_.

4 ¡He perdido mis llaves!

No creo que las _hayas perdido_.

5 ¡Por fin se ha despejado el día y brilla el sol!

Me alegra que _se haya despejado el día y que brille el sol_.

30 **Órdenes para todos**

▶ **Escribe** órdenes directas. Usa la lista de tareas.

> **Lista de tareas para hoy**
>
> Juan: Analizar el meteorito.
>
> Laura: Sustituir el telescopio.
>
> Carlos: Ver los resultados del laboratorio.
>
> José: Buscar las fotos de la galaxia X.
>
> Ana: Meter los datos en la computadora.
>
> Marta: Imprimir las fotos de la Luna.

1. Juan, llámame cuando hayas __analizado el meteorito__ .

2. Laura, avísame __cuando hayas sustituido el telescopio__ .

3. Carlos, ven __cuando hayas visto los resultados del laboratorio__ .

4. José, llama a Ana __cuando hayas buscado las fotos de la galaxia X__ .

5. Ana, avísame __cuando hayas metido los datos en la computadora__ .

6. Marta, enséñame las fotos __de la Luna cuando las hayas imprimido__ .

31 **No sé...**

▶ **Escribe** una reacción a estas noticias usando estas expresiones.

> Me alegra que   Dudo que   No creo que   Es una lástima que

1

Han cerrado un refugio para aves en peligro por falta de dinero.

> __Es una lástima que lo hayan__ __cerrado.__

2

Los países se comprometieron a reducir las emisiones de gases de efecto invernadero.

> __Me alegra que los países se__ __hayan comprometido.__

3

Astrónomos descubren un planeta hecho de diamantes.

> __No creo que hayan descubierto__ __algo así.__

32 **Metas personales**

▶ **Completa** esta oración con el presente perfecto de subjuntivo.

Mis padres estarán orgullosos de mí cuando __haya terminado mis estudios__

__universitarios__ .

Nombre: _____   **Fecha:** _____

 33 **Fenómenos**

▶ **Contesta.**

1. Si estás en la calle y ves relámpagos, ¿qué haces?

   <u>Entro en algún lugar para protegerme de la tormenta.</u>

2. ¿Qué ropa te pones cuando está lloviznando?

   <u>Me pongo un impermeable.</u>

3. ¿Qué fenómeno meteorológico te da más miedo? ¿Por qué?

   <u>Los relámpagos, porque causan destrucción.</u>

4. ¿Y cuál te gusta más? ¿Por qué?

   <u>El arco iris, porque me alegra.</u>

 34 **Un día normal**

▶ **Completa** estas oraciones.

<u>Pablo se viste siempre después de</u>
<u>levantarse de la cama.</u>

<u>Matilde se irá a casa después de que</u>
<u>pase la tormenta.</u>

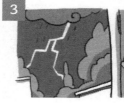

<u>Javier irá a hacer las tareas cuando</u>
<u>acabe el programa que está</u>
<u>viendo.</u>

<u>Raquel hizo todas las tareas antes</u>
<u>de que llegaran sus amigos.</u>

35 **El tiempo y el estado de ánimo**

▶ **Contesta.**

1. ¿Crees que en días soleados te sientes más activo o alegre?

   Sí, creo que estoy más activo.

2. ¿Cuál es tu estado de ánimo cuando el día es nuboso?

   Me siento un poco triste.

3. ¿Cuál es tu día perfecto, meteorológicamente hablando? ¿Por qué?

   Un día soleado, porque puedo realizar muchas actividades.

4. ¿Crees que el tiempo influye en el estado de ánimo de las personas?

   Sí, estoy convencida de que influye.

▶ **Completa** este texto con las palabras del recuadro.

| soleado | lluvioso | pedir | frío | nuboso | finalizaron |

El tiempo y nuestro estado de ánimo

Si pensamos que las condiciones meteorológicas influyen en el estado de ánimo, nos equivocamos: el tiempo afecta muy poco a nuestro estado de ánimo.

Así, lo afirma un estudio realizado en una universidad alemana después de _pedir_ a 1.233 personas que completaran diariamente un cuestionario durante un mes y en distintas épocas del año, donde se preguntaba sobre las emociones positivas y negativas sentidas a lo largo del día. Cuando _finalizaron_ las encuestas, los investigadores compararon los resultados de los cuestionarios con la información del Instituto Meteorológico de Alemania.

Los resultados fueron sorprendentes, el humor de la gente no mejoraba aunque las condiciones climáticas sí lo hicieran. Un día _soleado_, con poco viento y una temperatura agradable no hacía que la gente se sintiera más feliz.

Sí se encontró un pequeñísimo cambio cuando el tiempo no era muy bueno. Si el día estaba _nuboso_, _lluvioso_ o hacía _frío_, aumentaba la sensación de cansancio o tristeza. Pero esta relación era tan pequeña que no llegó a tener mucha importancia en el estudio.

Texto basado en: http://tpntycx2010.blogspot.com/.

▶ **Escribe** tu opinión. ¿Estás de acuerdo con lo que dice el texto?

   No estoy de acuerdo. En otros estudios que se han hecho en países

   fríos y en países del trópico, sí se encontró una relación entre el estado

   de ánimo y el tiempo.

Nombre: _____   **Fecha:** _____

DESASTRES NATURALES

el ciclón	*cyclone*
la erupción volcánica	*volcanic eruption*
el incendio forestal	*forest fire*
la inundación	*flood*
el huracán	*hurricane*
el terremoto	*earthquake*

ACTIVIDADES ECONÓMICAS

la agricultura	*agriculture*
la ganadería	*livestock*
la industria	*industry*
la minería	*mining*
la pesca	*fishing*

RECURSOS NATURALES

el carbón	*coal*
el gas natural	*natural gas*
la madera	*wood*
los minerales	*minerals*

METALES

el acero	*steel*
el bronce	*bronze*
el estaño	*tin*
el hierro	*iron*
el oro	*gold*
la plata	*silver*
el plomo	*lead*

> Los bomberos están intentando apagar **el incendio forestal**.

36 Desastres naturales

▶ **Escribe** debajo de cada foto el nombre del desastre natural correspondiente.

1

la erupción volcánica

el incendio forestal

la inundación

3

4

el huracán

5

el terremoto

37 **Noticias sorprendentes**

▶ **Completa** los titulares con estas palabras.

| madera | carbón | gas natural | ciclón | minerales | incendio forestal |

Chiapas, en alerta por posible _ciclón_ tropical

UN GRAN _incendio forestal_ AMENAZA UN PARQUE NATURAL DE GRAN IMPORTANCIA MEDIOAMBIENTAL

Colombia es un país rico en _minerales_ como oro, plata, níquel...

Fomentan el uso de la _madera_ como material en la construcción por ser un recurso renovable

El Consejo de Administración de Pemex bajará un 10% el precio del _gas natural_

Inspeccionan cien minas de _carbón_ en Coahuila

38 **Actividades económicas**

▶ **Clasifica** estas palabras.

| estaño | papas | automóvil | marisco | cereales |
| fabricación | cerdo | sardina | oro | oveja |

AGRICULTURA	GANADERÍA	INDUSTRIA	MINERÍA	PESCA
papas	cerdo	fabricación	estaño	sardina
cereales	oveja	automóvil	oro	marisco

39 **¿De qué está hecho?**

ANSWERS WILL VARY

▶ **Contesta** estas preguntas.

1. ¿De qué metal es la medalla que se da al campeón de una competencia? ¿Y la del segundo? ¿Y la del tercero?

   De oro, de plata y de bronce.

2. ¿Qué metal es más pesado: el plomo o el acero?

   El plomo es más pesado.

Nombre: .... **Fecha:** ....

EXPRESAR CAUSA Y CONSECUENCIA

Expresiones de causa

| **porque** + indicative | No vino ayer **porque** nevaba mucho. |

| **por** + infinitive | Hay mucha contaminación **por** usar tanto el coche. |

• *To ask about the reason, use ¿por qué...?*

—**¿Por qué** no llamaste ayer?

—Porque tuve mucho trabajo.

Expresiones de consecuencia

| **así (es) que** + indicative | Llovió mucho, **así que** se inundó la ciudad. |

| **por eso** + indicative | Hubo un terremoto; **por eso**, no pudimos visitar la ciudad. |

> Hay una fuerte sequía **porque** cada vez llueve menos.

40 Causa y consecuencia

▶ **Relaciona** para formar oraciones lógicas.

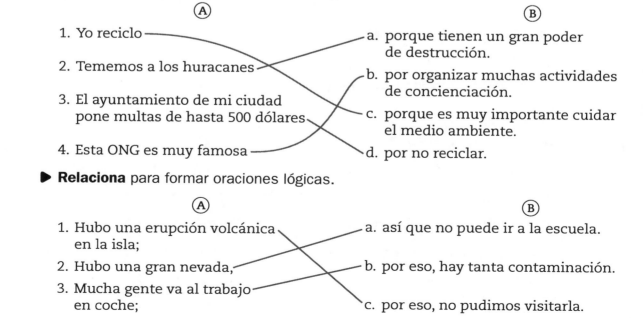

Ⓐ

1. Yo reciclo
2. Tememos a los huracanes
3. El ayuntamiento de mi ciudad pone multas de hasta 500 dólares
4. Esta ONG es muy famosa

Ⓑ

a. porque tienen un gran poder de destrucción.

b. por organizar muchas actividades de concienciación.

c. porque es muy importante cuidar el medio ambiente.

d. por no reciclar.

▶ **Relaciona** para formar oraciones lógicas.

Ⓐ

1. Hubo una erupción volcánica en la isla;
2. Hubo una gran nevada,
3. Mucha gente va al trabajo en coche;

Ⓑ

a. así que no puede ir a la escuela.

b. por eso, hay tanta contaminación.

c. por eso, no pudimos visitarla.

41 Causa o consecuencia

▶ **Completa** las oraciones con *porque*, *por*, *así que* y *por eso*.

1. Se destruyeron muchas casas __porque__ el ciclón fue muy violento.

2. El equipo de salvamento llegó pronto, __así que__ salvó a mucha gente.

3. Llovió durante un mes; __por eso__, hubo una inundación.

4. Por fin comenzó a llover, __así que__ se acabó la sequía.

5. Hay muchos incendios __porque__ este invierno ha llovido muy poco.

6. Todo el mundo está buscando refugio __porque__ viene un ciclón.

7. Hay aviso de huracán; __por eso__, no podemos salir fuera.

8. Multan a una fábrica __por__ contaminar la Amazonia ecuatoriana.

9. Hay que concienciar a los niños de lo importante que es cuidar el medio

   ambiente; __por eso__, los padres deben dar ejemplo.

42 Conciencia ecológica

▶ **Contesta** las preguntas. Expresa la causa brevemente.

1. ¿Por qué se prohíbe hacer fuego en los bosques?

   __Por los incendios forestales que puede causar.__

2. ¿Por qué mucha gente viaja en bici o a pie?

   __Porque así no contaminan.__

3. ¿Por qué se botan las pilas usadas en contenedores especiales?

   __Porque las pilas contaminan y hay que reciclarlas.__

4. ¿Por qué hay que plantar árboles?

   __Por la salud de los bosques y del medio ambiente.__

43 Consecuencias personales

▶ **Completa** las oraciones para hablar de tu vida.

1. Voy a la cama, así que __me quedaré dormido en un rato__.

2. Desayuno antes de salir de casa porque __me levanto siempre con hambre__.

3. Voy a la escuela en transporte público, así que __ahorro energía__.

4. A veces llego tarde a casa porque __hay mucho tráfico__.

5. Estudio Español todos los días; por eso, __saco buenas notas__.

Nombre: ....   **Fecha:** ....

LA PREPOSICIÓN A PERSONAL

Uso de la preposición *a* personal

- *Use **a** with direct objects that:*

Refer to a definite or specific person or people.	Vi **a Mack** en el cine.
Refer to a definite pet.	Quiero mucho **a mi perro**.
Are pronouns such as **alguien** (*someone*), **nadie** (*nobody*), **alguno** (*some*), **ninguno** (*none*), **todos** (*everybody*).	No llamé **a nadie**.

> Quiero mucho **a** mi perro Toby.

- *Do not use the personal **a** in these cases:*

When the direct object refers to an indefinite person or group of people.	Esta compañía necesita **un director**. Veo **gente** en la calle.
With the verbs **tener** and **haber**.	Tengo **tres hermanos**. ¿Hay **alguien** en tu casa?

44 ¿Con *a* o sin *a*?

▶ **Relaciona** los textos de ambas columnas para hacer oraciones correctas.

Ⓐ

1. Llama, por favor,
2. Conozco
3. Hay
4. La ONG tiene
5. Escribí

Ⓑ

a. una persona que se encarga de ese tema.
b. a la señora Ramos, jefa de Medio Ambiente.

45 ¿Es correcto?

▶ **Señala** cuáles de estas oraciones son correctas.

- ☑ 1. ¿Hay alguien en la escuela ahora?
- ☐ 2. Ayer vi tu madre en el centro comercial.
- ☑ 3. Mi abuela tiene dos perros y tres gatos.
- ☐ 4. En esa escuela necesitan a profesores de Español.

46 Cartas al director

▶ **Subraya** en esta carta las tres oraciones donde no se usa correctamente la preposición *a*.

CORREGIR

Basura en zonas residenciales

Señor director:

En mi barrio veo todos los días muchos vecinos botar basura en un lugar donde los niños juegan y hacen deporte. Tengo dos hijos y tuvieron que dejar de ir allí porque el sitio está demasiado sucio.

¿No se puede multar estas personas para que no sigan botando la basura allí? ¿El ayuntamiento no puede mandar a alguien para que vigile el lugar? ¿No hay a nadie que se encargue de limpiar estas zonas?

47 Medio ambiente

▶ **Completa** las oraciones usando la preposición *a* cuando sea necesario.

1. Varias ONG denunciaron __a__ los directores de la compañía petrolífera.

2. Hay __x__ muchas especies marinas afectadas por la marea negra.

3. El gobierno no envió __a__ nadie a la zona afectada.

4. Varias ONG buscaban __x__ voluntarios para trabajar en la zona.

5. El gobierno no tiene __x__ especialistas en energías alternativas.

6. Hay que concienciar __a__ todos para que reciclen.

7. Veo __x__ gente que bota las pilas en el contenedor equivocado.

48 Preposición *a*

▶ **Completa** las oraciones de una manera lógica. No olvides añadir la preposición *a* donde sea necesaria.

buscar	conocer	haber	querer	tener

1. __Tenemos__ varios amigos que colaboran con una ONG.

2. __Quiero a__ mi mascota que tomé de un refugio de animales.

3. Esta empresa __busca__ ingenieros que hablen español.

4. ¿ __Hay__ alguien que sepa japonés en tu clase?

5. No __conozco a__ nadie que viva en un barco.

Nombre: _____   **Fecha:** _____

49 Los desastres naturales

ANSWERS WILL VARY

▶ **Lee** este texto y contesta las preguntas.

¿Existen los desastres naturales?

¿Existen los desastres naturales o es la sociedad la que se pone en peligro por crear ciudades en zonas no aptas?

Actualmente, es muy normal escuchar en la radio y en la televisión o leer en los periódicos que los daños provocados por los huracanes, los terremotos, las erupciones volcánicas, las olas de calor o de frío, etcétera, son llamados «desastres naturales». Estamos tan acostumbrados a oír esta afirmación que pocas veces nos preguntamos si realmente existen esos desastres naturales o somos nosotros los que, al vivir en lugares peligrosos, provocamos situaciones de emergencia asociadas a pérdidas humanas y económicas.

En México, al igual que en muchos países, los daños por fenómenos naturales son cada vez mayores. Los expertos no se ponen de acuerdo sobre la causa del aumento de estos fenómenos. Por un lado, algunos piensan que ahora hay más desastres naturales por el calentamiento global, que influye de manera directa en la intensidad de los huracanes, en el aumento de la frecuencia de las olas de calor o de frío, y en la elevación del nivel del mar. Por otro lado, están los científicos que creen que la intensidad de los daños causados por fenómenos naturales son ahora mayores porque se construyen asentamientos urbanos en zonas no adecuadas para la urbanización.

Texto basado en: http://blogs.eluniversal.com.mx.

---

1. ¿Por qué según algunos expertos ahora hay más desastres naturales?

   Porque se construyen asentamientos urbanos en zonas que son
   peligrosas y, por eso, provocamos situaciones de emergencia.
   _____
   _____

2. ¿Estás de acuerdo con la opinión de estos expertos? ¿Por qué?

   En algunos casos es cierto, pero no en todos. Hay ciudades que no
   están en zonas peligrosas y también sufren desastres naturales.
   _____
   _____

50 **Noticias sobre desastres**

▶ **Escribe** al lado de cada titular el desastre natural correspondiente.

1
Nube de ceniza paraliza el tráfico aéreo europeo

erupción
volcánica

2
En Arizona se queman 78 mil hectáreas de bosque

incendio
forestal

3
Numerosos edificios, hospitales y puentes del centro de Chile están afectados por el temblor de tierra

terremoto

▶ Ahora, **elige** uno de los titulares anteriores y escribe las causas que lo produjeron y las consecuencias que tuvo.

La erupción del volcán Paricutín paralizó el tráfico aéreo en cinco

aeropuertos del país durante una semana. Las cenizas del volcán

formaron una nube gigantesca que redujo la visibilidad de los pilotos.

51 **Tu país**

▶ **Contesta** estas preguntas sobre las actividades económicas de tu país.

1. ¿Cuáles son los principales productos agrícolas que produce?

Maíz, soja, trigo, algodón, tomates, papas y naranjas.

2. ¿Cuáles son las principales especies que se pescan?

Salmón, langosta, camarón, cangrejo y sardinas.

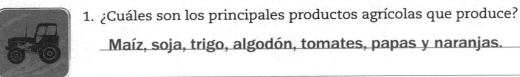

3. ¿Hay minas en tu país? ¿Cuál es el recurso minero más importante?

Sí. El carbón, el gas y el petróleo son los recursos más

importantes.

4. ¿Dónde se encuentra la mayoría de las fábricas? ¿Qué producen?

En Michigan. Producen vehículos y maquinaria pesada.

TODO JUNTO

Nombre: _____ **Fecha:** _____

52 Consejos

▶ **Completa** este texto. Escribe la forma correcta de los verbos entre paréntesis.

Consejos para ser ecológicos y contaminar menos

1. Después de (salir) __salir__ de una habitación, no te olvides de apagar siempre la luz.

2. Un recorrido de 15 segundos en ascensor consume lo mismo que una bombilla encendida una hora, así que utiliza las escaleras. Es bueno para el medio ambiente y para ponerte en forma.

3. Cuando (tener) __tengas__ que cambiar una bombilla, compra una de bajo consumo porque consume mucha menos energía que una normal.

4. Cuando (tener) __tengas__ que poner una lavadora, asegúrate de que está llena, y si (lavar) __lavas__ con agua fría, (ahorrar) __ahorrarás__ el 80 % de la energía.

5. Después de (usar) __usar__ la computadora o (ver) __ver__ la televisión, no los dejes en *stand by* porque gastan el 15 % de su consumo total.

6. Después de (cargar) __cargar__ tu celular, desenchufa el cargador porque sigue consumiendo energía.

7. Si en casa (vestirse) __te vistes__ según la temperatura, no (tener) __tendrás__ que encender la calefacción o el aire acondicionado.

8. Si (ducharse) __te duchas__ en lugar de bañarte, (ahorrar) __ahorrarás__ agua.

9. Cuando (ir) __vayas__ a la escuela, intenta usar el transporte público en invierno y en verano la bici. El planeta y tu salud te lo agradecerán.

10. Si (usar) __usas__ papel reciclado y (escribir) __escribes__ siempre por los dos lados, (evitar) __evitarás__ que se talen más árboles.

11. Antes de (comprar) __comprar__ algo en un envase de plástico, comprueba que el mismo producto no esté en un envase de vidrio.

Español Santillana. Practice Workbook. Unidad 7

239

53 Hombre del tiempo

▶ **Observa** el pronóstico del tiempo en estas dos ciudades y contesta a Miguel y a María.

Predicción meteorológica

Alicante (España)

Fecha	Sábado 23 de junio		Domingo 24 de junio	
	a. m.	p. m.	a. m.	p. m.
Estado del cielo				
Temperatura	mín. 59° / máx. 76°		mín. 57° / máx. 72°	

Cuzco (Perú)

Fecha	Sábado 23 de junio		Domingo 24 de junio	
	a. m.	p. m.	a. m.	p. m.
Estado del cielo				
Temperatura	mín. 50° / máx. 64°		mín. 50° / máx. 68°	

Yo quería saber qué tiempo va a hacer la noche del 23 al 24 de junio en Alicante porque mis compañeros de clase y yo queríamos celebrar la Noche de San Juan en la playa. Muchas gracias.

Hola, buenas tardes. Yo me voy mañana a Perú para celebrar el Inti Raymi y quería saber qué tiempo va a hacer el 24 de junio en Cuzco.

Alicante: El 23 por la tarde estará soleado, pero lloviznará a la mañana siguiente. La temperatura mínima será de 59° F.

Cuzco: El 24 estará nuboso por la mañana, pero se despejará por la tarde. La temperatura será de 68° F.

Nombre: .... **Fecha:** ....

54 Símbolos nacionales

▶ **Escribe** debajo de cada fotografía el nombre del país del que es símbolo.

Guatemala

Colombia y Ecuador

Argentina y Uruguay

México

Venezuela

▶ ¿Conoces otras especies de animales o vegetales que sean símbolos en algún país? ¿Cuáles? **Escríbelo.**

El águila calva – Estados Unidos

La hoja de arce – Canadá

55 Flora, fauna y ecosistema

▶ **Relaciona** cada especie con su ecosistema correspondiente.

Ⓐ   Ⓑ

1. el pingüino de Magallanes

2. el ocelote

3. el jaguar   a. arrecifes

4. el tiburón ballena   b. bosques lluviosos, tundra y matorral

5. los líquenes   c. selvas y bosques de montaña

6. los musgos

7. los corales

56 **Espacios naturales singulares**

▶ **Relaciona** esta información con la foto correspondiente.

1
Está situado al sur de Chile. Hace mucho frío y viento durante todo el año. **A**
El pingüino de Magallanes es una especie característica de esta región.

2
Está en Argentina. Su ecosistema está formado por selvas y bosques **B**
de montaña. El clima es cálido y húmedo.
El ocelote y el jaguar son dos de las especies que viven en este ecosistema.

3
Es el mayor banco de corales del Golfo de México. En 2006 fue declarado **D**
Reserva de la Biosfera por la UNESCO.
El tiburón ballena es una de las especies que se pueden ver cerca de estos
arrecifes.

4
Está en la isla de Lanzarote, España, y es de origen volcánico. Hay muchas **C**
especies que se han adaptado al ecosistema volcánico.

A

C

B

D

▶ **Escribe.** ¿Cuál de los cuatro espacios naturales anteriores te gustaría conocer?
¿Por qué?

(ANSWERS WILL VARY)

Me gustaría visitar el arrecife Alacranes en el Golfo de México porque

me interesan mucho los ecosistemas marinos.

Nombre: .... **Fecha:** ....

ANSWERS WILL VARY

¿Puedes contestar a cada pregunta en menos de 10 segundos? Suma dos puntos por cada oración correcta. Resta un punto por cada error de ortografía o de concordancia.

DESAFÍO 1

1 ¿De qué material están hechos estos recipientes?
  __De cartón y papel.__

2 ¿Dónde vive el quetzal?
  __En Guatemala.__

3 ¿Qué reptil podrás ver si vas a las islas Galápagos?
  __La tortuga.__

DESAFÍO 2

4 ¿Cómo se llama el ruido que oímos después de un relámpago?
  __Trueno.__

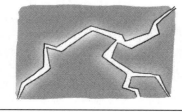

5 ¿Qué expresión se usa en español cuando está lloviendo mucho?
  __Llover a cántaros.__

6 ¿Qué se suele hacer en muchos sitios en la Noche de San Juan?
  __Hogueras.__

DESAFÍO 3

7 ¿Qué desastre natural sufrió Chile en 2010?
  __Un terremoto.__

8 ¿Con qué actividad económica relacionas las palabras carbón, hierro y oro?
  __Con la minería.__

9 ¿Por qué no vino Daniel?
  __Porque hubo una nevada.__

Cultura

Contesta las preguntas.

1. ¿En qué país se celebra Expoartesanías?

   En Colombia.

2. ¿De dónde a dónde viaja la mariposa monarca cada año?

   De Canadá y EE. UU. al centro de México.

3. ¿Cuándo es el solsticio de verano en el hemisferio sur?

   Entre el 20 y el 23 de diciembre.

4. ¿Por qué celebraban los incas el Inti Raymi?

   Para honrar al dios Sol.

5. ¿Qué quiere decir «comercio justo»?

   Comercio que respeta el medio ambiente y a los productores.

6. ¿Qué país de América Latina es famoso por sus tulipanes?

   Chile.

7. ¿Qué arrecife sirve de barrera natural en tormentas y huracanes en México?

   El arrecife Alacranes en el Golfo de México.

Unidad 8 En sociedad

Nombre: .... **Fecha:** ....

1 **Datos de interés**

▶ **Completa** esta ficha sobre México con las palabras del recuadro.

estados	*ciudades*	*partidos*	*capital*
bandera	*gobierno*	*población*	*país*

México. Datos de interés

Nombre del ___país___ : Estados Unidos Mexicanos

Colores de la ___bandera___ : verde, blanco y rojo

___Población___ : 109.955.000 habitantes

Extensión: 1.923.000 km²

Límites: norte, EE. UU.; este, océano Atlántico; sur, Guatemala y Belice; oeste, océano Pacífico

___Capital___ : Ciudad de México

División administrativa: 31 ___estados___ y un distrito federal

___Ciudades___ **principales:** Guadalajara, Puebla, Monterrey, Tijuana, Ciudad Juárez, Mérida

Forma de ___gobierno___ : república federal

___Partidos___ **más importantes:** Partido Acción Nacional (PAN), Partido Revolucionario Institucional (PRI), Partido de la Revolución Democrática (PRD).

2 **Civilizaciones**

▶ **Relaciona** estas fotos con la civilización correspondiente.

A
B
C

1. ruinas incas de Machu Picchu ___C___

2. calendario azteca ___A___

3. pirámide Kukulkán, cultura maya ___B___

3 **Datos históricos**

▶ **Completa** el texto con las palabras del recuadro.

independencia	imperio	aztecas	población
mayas	conquistador	capital	emperador

Datos históricos

Antes de la llegada de los españoles, en México vivían, entre otros, los _aztecas_ y los _mayas_. La _capital_ del _imperio_ azteca estaba situada donde hoy se encuentra Ciudad de México.

En 1521, el _conquistador_ español Hernán Cortés derrotó al último _emperador_ azteca, Moctezuma. Así comenzó la época colonial, que duró tres siglos.

En 1810, México comenzó la lucha por la _independencia_ de España. El 16 de septiembre de 1810, el cura Hidalgo, que era un sacerdote y militar mexicano, hizo un llamamiento a la _población_ para que luchara por su independencia. Con este llamamiento, conocido también como «Grito de Dolores», comenzó un proceso que culminó con la independencia de México en 1821.

EXPRESIONES ÚTILES

4 **¿Qué quiere decir?**

▶ ¿Para qué se usan las expresiones subrayadas? **Escribe** la letra correspondiente.

a. Preguntar por deseos   b. Expresar indiferencia   c. Expresar resignación

_a_ —¿Tienes <u>ganas de</u> ir al cine?

_b_ —No sé, <u>como quieras</u>.

_a_ —¿<u>Te apetece</u> hacer otra cosa?

_b_ —<u>Me da lo mismo</u>.

_a_ —¿<u>Te gustaría</u> dar un paseo?

—No sé.

—Bueno, pues si no te animas, me voy.

_b_ —<u>Me da igual</u>.

—¡Que me voy!

_b_ —Que <u>no me importa</u>.

_c_ —Pues <u>qué le vamos a hacer</u>. Adiós.

Nombre: _____   **Fecha:** _____

PERSONAJES, ACONTECIMIENTOS, CIVILIZACIONES

la civilización	civilization
la estatua	statue
la excavación	excavation
el imperio	empire
el palacio	palace
las ruinas	ruins
el siglo	century
la época	time, period

Acciones

conquistar	to conquer
descubrir	to discover
desaparecer	to disappear
excavar	to excavate
invadir	to invade
reconstruir	to reconstruct
restaurar	to restore

Personas

el/la arqueólogo(a)	archaeologist
el/la conquistador(a)	conqueror
el/la explorador(a)	explorer

Hechos históricos

la batalla	battle
la conquista	conquest
la guerra	war
la invasión	invasion

Somos **arqueólogas** chilenas y estamos **excavando** estas **ruinas**.

5 ¡Cuántos cognados!

ANSWERS WILL VARY

▶ **Busca** en el cuadro de vocabulario seis cognados y escribe el equivalente en inglés y un ejemplo con cada palabra.

INGLÉS	EJEMPLO
statue	El año pasado visitamos la Estatua de la Libertad.
civilization	Los toltecas fueron una civilización de Mesoamérica.
empire	El imperio maya fue muy importante.
palace	El rey vive en un palacio muy lujoso.
ruins	En Guatemala y Honduras hay ruinas mayas.
invade	Ningún país debería invadir a otro.

6 **Clasificaciones**

▶ **Escribe** las palabras en el lugar correspondiente del diagrama.

la excavación	el imperio	el palacio	las ruinas	la batalla
invadir	restaurar	descubrir	la civilización	la invasión

Arqueólogo(a)   **Conquistador(a)**

la excavación

descubrir

restaurar

las ruinas

la civilización

el imperio

el palacio

invadir

la invasion

la batalla

7 **Definiciones**

▶ **Escribe** una definición de estos términos. Usa el mayor número de palabras del cuadro de vocabulario.

1. Un arqueólogo es _una persona que estudia civilizaciones antiguas_ _y realiza excavaciones en ruinas_.

2. Un conquistador es _una persona que invade territorios y conquista_ _a sus pobladores mediante batallas y guerras_.

3. Un explorador es _una persona que descubre y explora nuevos_ _territorios_.

4. Las ruinas son _ciudades o edificios destruidos que fueron habitados_ _por imperios o civilizaciones_.

8 **Pasado y presente**

▶ **Escribe** una oración con cada grupo de palabras.

En el siglo XVI, los conquistadores...

1. descubrir/civilizaciones _... descubrieron varias civilizaciones_.

2. invadir/territorios _... invadieron nuevos territorios_.

3. ganar/batallas _... ganaron muchas batallas_.

4. conquistar/imperios _... conquistaron numerosos imperios_.

Nombre: ....   **Fecha:** ....

LA VOZ PASIVA

The passive voice is used to emphasize the receiver or product of an action.

> **subject** (receiver) + **verb** (*ser* + past participle) + **agent** (with *por*)

Formación y uso de la voz pasiva

The passive voice is not normally used:

– *With verbs of perception* (ver, oír…) *or emotion* (querer, odiar…).

    No **vi** esa película.

– *With an indirect object.*

    Ellos les construyeron un monumento a los conquistadores.

> La pirámide azteca de Tlatelolco **fue descubierta** en 2007 **por** unos arqueólogos mexicanos.

9   Tres grandes civilizaciones

▶ **Subraya** la forma correcta de los participios.

El imperio inca

En el siglo XVI, el territorio de Mesoamérica era *controlada / controlado* por los mayas y los aztecas.

Mientras tanto, en Suramérica, un gran imperio fue *construida / construido* por otra civilización, los incas.

Estos tres grandes imperios fueron *conquistado / conquistados* por los españoles, que acabaron con sus civilizaciones.

Gracias a los importantes descubrimientos de los arqueólogos, hoy conocemos muchas cosas sobre aquellas culturas. Uno de los más importantes fue el descubrimiento de Machu Picchu. Sus ruinas fueron *descubierta / descubiertas* por Hiram Bingham en 1911. Los trabajos de excavación fueron *realizado / realizados* por este explorador y su equipo gracias al apoyo de la National Geographic Society y la universidad de Yale.

10 **La civilización inca**

▶ **Transforma** estas oraciones en voz pasiva para poner el énfasis en las palabras subrayadas.

1. El imperio inca adoptó el quechua como lengua oficial.

   El quechua fue adoptado por el imperio inca como lengua oficial.

2. Francisco Pizarro consiguió controlar el imperio inca.

   El imperio inca fue controlado por Francisco Pizarro.

3. Pizarro hizo prisionero al jefe de los incas Atahualpa.

   Atahualpa, el jefe de los incas, fue hecho prisionero por Pizarro.

4. Los incas usaron el bronce para construir herramientas y joyas.

   El bronce fue usado por los incas para construir herramientas y joyas.

5. Los incas domesticaron vicuñas y alpacas por su fina lana.

   Las vicuñas y alpacas fueron domesticadas por los incas

   por su fina lana.

11 **Preguntas**

▶ **Contesta.**

1. ¿Algún edificio de tu ciudad ha sido declarado monumento histórico? ¿Cuál?

   Sí, el Álamo, en San Antonio, TX.

2. ¿Ha sido algún monumento de tu ciudad restaurado últimamente? ¿Cuál? ¿Sabes por quién ha sido restaurado?

   La catedral de San Fernando ha sido restaurada, pero no sé quién

   la restauró.

3. ¿Sabes cuál es el monumento más visitado de tu país? Averigua por cuántos turistas es visitado cada año.

   La Estatua de la Libertad. La visitan cerca de cuatro millones

   de personas.

4. ¿Cuándo fue inaugurada tu escuela? ¿Sabes quién la inauguró?

   Fue inaugurada en 1869 por el estado. Su primer director fue

   el señor J. W. Johnson.

Nombre: ....   **Fecha:** ....

USO DE LOS TIEMPOS DE PASADO (REPASO)

We use different past tenses to talk about past events.

- **Pretérito** *(hablé): completed actions.*

  Ayer **fui** al cine y después **comí** con mi abuelo.

- **Imperfecto** *(hablaba): descriptions, repeated actions, circumstances surrounding an event.*

  Cuando **era** pequeña, **quería** ser arqueóloga.

- **Presente perfecto** *(he hablado): actions that began in the past but continue into the present, and recent actions.*

  Hoy **he leído** un texto muy interesante sobre conquistadores españoles.

- **Pluscuamperfecto** *(había hablado): a past action completed before another.*

  Cuando llegué, ya te **habías ido** a la escuela.

> Cuando **estaba** en sexto curso, **fuimos** al museo arqueológico.

12   **Un viaje**

▶ **Completa** el texto poniendo los verbos entre paréntesis en pretérito.

La llegada de los europeos

El 3 de agosto de 1492 Cristóbal Colón (salir) ___salió___ del puerto de Palos e (hacer) ___hizo___ escala en Canarias.

El 12 de octubre de 1492 llegó a una isla. Colón estaba convencido de que había llegado a Asia. En su primer viaje (confundir) ___confundió___ Cuba con Japón y (llamar) ___llamó___ indios a los habitantes de las islas que había descubierto.

El Nuevo Mundo (ser) ___fue___ conocido durante mucho tiempo con el nombre de Indias Occidentales. Pero también desde 1507 se le (llamar) ___llamó___ América, en honor de Américo Vespuccio.

Tras el éxito de este primer viaje, Colón (hacer) ___hizo___ otros tres: en 1493, en 1498 y en 1502. En el tercero (llegar) ___llegó___ finalmente a las costas del continente. Colón (morir) ___murió___ sin saber que había llegado a un continente desconocido por los europeos.

13 **La numeración maya**

▶ **Subraya** la forma correcta de los verbos.

1. Su sistema de numeración _fue_/era inventado para medir el tiempo.

2. Los tres símbolos básicos _fueron_/_eran_ el punto, la raya y el caracol.

3. Los mayas _combinaron_/_combinaban_ estos tres símbolos y así _obtuvieron_/_obtenían_ los números del 0 al 20.

4. El punto _equivalió_/_equivalía_ al uno, la raya, al cinco, y el caracol, al cero.

5. Los mayas _descubrieron_/_descubrían_ el número cero.

14 **En el momento justo**

▶ **Corrige** los tiempos verbales que no sean correctos.

1. Colón ha llegado a América en 1492.

   Colón llegó a América en 1492.

2. Antes de que Colón llegara, los incas han construido un imperio.

   Antes de que Colón llegara, los incas habían construido un imperio.

3. Los mayas habían estudiado astronomía.

   Los mayas estudiaban astronomía.

4. En el siglo XV, los pueblos indígenas han adorado el Sol.

   En el siglo XV, los pueblos indígenas adoraban el Sol.

15 **Antes de 1620**

▶ **Escribe.** ¿Qué habían hecho estos exploradores antes de 1620?

1497 Caboto explora las costas de Norteamérica.

1514 Ponce de León reclama Florida para España.

1542 Cabeza de Vaca escribe sobre las poblaciones indígenas del Golfo de México.

1565 Menéndez y sus tropas fundan San Agustín en Florida.

Antes de 1620 Caboto **había explorado las costas de Norteamérica.**

Antes de 1620 Ponce de León había reclamado Florida para España.

Antes de 1620 Cabeza de Vaca había escrito sobre las poblaciones indígenas del Golfo de México.

Antes de 1620 Menéndez había fundado San Agustín en Florida.

Nombre: .... **Fecha:** ....

16 Recuerdos imborrables

▶ **Elige** dos de estos acontecimientos y escribe. ¿Cómo fue?, ¿dónde fue?, ¿con quién lo celebraste?, ¿cómo ibas vestido?, ¿cómo te sentías?, ¿qué tiempo hacía?…

el Día de Acción de Gracias del año pasado

tu último cumpleaños

el primer 4 de julio que recuerdas

Año Nuevo del año pasado

1. Celebré mi último cumpleaños el pasado 15 de enero. Invité a mis mejores amigos a una fiesta en casa. Hacía un poco de frío porque era invierno, pero en casa no se sentía. Comimos, bailamos y lo pasamos muy bien.

2. El Año Nuevo lo pasé con mis padres y mis abuelos en Florida, donde mis abuelos pasan el invierno. No hacía frío, y por eso llevábamos camisetas y pantalones cortos. Hicimos una barbacoa en el patio y después fuimos a ver los fuegos artificiales al centro de la ciudad.

Español Santillana. Practice Workbook. Unidad 8

253

17 El descubrimiento de Machu Picchu

▶ **Completa** el texto con las palabras del recuadro. Después, pon los verbos entre paréntesis en el tiempo correcto.

ruinas	arqueólogo	inca	invasión	conquistadores
época	explorador	descubiertas	excavaciones	

El descubrimiento de Machu Picchu

Las _ruinas_ de la ciudad _inca_ de Machu Picchu fueron _descubiertas_ en 1911 por el aficionado _arqueólogo_ y _explorador_ estadounidense Hiram Bingham.

Hiram Bingham (1875-1956) (realizar) _realizó_ su primer viaje a Suramérica en 1906. Su misión (consistir) _consistía_ en seguir la ruta que realizó Simón Bolívar en 1819 por los países conquistados por España, para conocer mejor la historia hispanoamericana y poder enseñársela a sus alumnos.

En 1910 (organizar) _organizó_ una expedición arqueológica cuyo objetivo (ser) _era_ encontrar Vilcabamba, la ciudad secreta que (ser) _fue_ utilizada por los incas para protegerse de la _invasión_ de los _conquistadores_ españoles en el siglo XVI.

Las crónicas incas de la _época_ le llevaron a la conclusión de que los yacimientos (encontrarse) _se encontraban_ cerca de Cuzco (Perú). Tras un difícil camino, el 24 de julio (dirigirse) _se dirigió_ a las ruinas de Machu Picchu, donde (encontrar) _encontró_ una piedra que recordaba al Templo del Sol en Cuzco. Se iniciaron las _excavaciones_, que Bingham (tener) _tuvo_ que abandonar en 1912. Gracias al descubrimiento de su «nueva ciudad inca», como describió a Machu Picchu en una carta a su esposa Alfreda, (conseguir) _consiguió_ la primera beca de arqueología otorgada por la National Geographic Society. (Poder) _Pudo_ regresar a excavar en 1914 y 1915.

Nombre: ....   **Fecha:** ....

POLÍTICA Y GOBIERNO

el Congreso	Congress	
la Constitución	Constitution	
la dictadura	dictatorship	
el golpe de Estado	coup (d'état)	
la ley	law	
la monarquía constitucional	constitutional monarchy	
el Parlamento	Parliament	
el poder	power	
la república democrática	democratic republic	
el Senado	Senate	
la votación	vote	

Personas, cargos y títulos

el alcalde/la alcaldesa	mayor
el/la ciudadano(a)	citizen
el/la dictador(a)	dictator
el/la diputado(a)	representative
el/la gobernador(a)	governor
el/la ministro(a)	minister
el/la presidente(a)	president
el príncipe/la princesa	prince/princess
el rey/la reina	king/queen
el/la senador(a)	senator
el/la vicepresidente(a)	vice-president

Acciones

apoyar	to support
aprobar	to approve
dirigir	to direct
gobernar	to govern
rechazar	to reject
votar	to vote

En España tienen una **monarquía constitucional**.

Ideologías

demócrata	democrat
comunista	communist
conservador(a)	conservative
liberal	liberal
republicano(a)	republican
socialista	socialist

18   La política

▶ **Clasifica** estas palabras en el lugar correspondiente de la tabla.

senado	reina	socialista	monarquía	ministro
demócrata	senador	parlamento	príncipe	dictadura

SISTEMAS DE GOBIERNO	ÓRGANOS POLÍTICOS	CARGOS POLÍTICOS	TÍTULOS	IDEOLOGÍAS
monarquía	senado	senador	reina	demócrata
dictadura	parlamento	ministro	príncipe	socialista
república	congreso	diputado	princesa	liberal

ANSWERS WILL VARY

▶ **Añade** una palabra más en cada una de las categorías anteriores.

19 Cargos políticos

▶ **Relaciona** cada cargo político con su definición.

Ⓐ

1. alcalde/alcaldesa

2. diputado/diputada

3. ministro/ministra

4. presidente/presidenta

Ⓑ

a. Persona que pertenece a un gobierno y que está al frente de un área concreta (educación, sanidad, economía, etc.).

b. Persona que gobierna en un pueblo o una ciudad.

c. Persona que ocupa el puesto más importante en un gobierno.

d. Persona elegida como representante de una cámara legislativa, de ámbito nacional, regional o estatal.

20 Titulares

▶ **Completa** estos titulares con las palabras del recuadro.

| ciudadanos | dirigir | votar | rechacen | apruebe | ley | apoyan | gobernar |

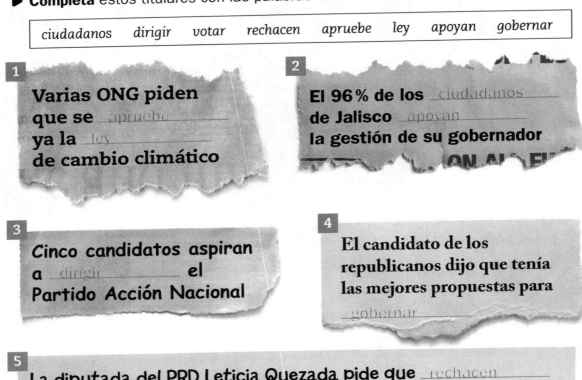

1
Varias ONG piden que se _apruebe_ ya la _ley_ de cambio climático

2
El 96% de los _ciudadanos_ de Jalisco _apoyan_ la gestión de su gobernador

3
Cinco candidatos aspiran a _dirigir_ el Partido Acción Nacional

4
El candidato de los republicanos dijo que tenía las mejores propuestas para _gobernar_

5
La diputada del PRD Leticia Quezada pide que _rechacen_ la Ley de Seguridad

6
Cientos de personas hacían largas filas en el Colegio Salvador Mendieta para _votar_ en estas elecciones

Nombre: .... **Fecha:** ....

HABLAR DE LAS ETAPAS DE UNA ACCIÓN

Fases de la acción

empezar a + infinitive (to begin, to start)	María **empezó a trabajar** a los 25 años.
seguir + present participle (to continue)	Pedro **sigue estudiando** Español.
dejar de + infinitive (to stop)	Mi madre **dejó de trabajar** hace cinco años.
acabar de + infinitive (to finish, to end; to have just)	**Acabé de estudiar** muy tarde. **Acabo de hablar** con Juan.
llevar + present participle (to carry on)	**Llevo esperando** a Felipe dos horas.

Los pronombres de objeto en las construcciones verbales

Le empezó a dar clase cuando tenía cinco años.

Empezó a dar**le** clase cuando tenía cinco años.

Se **la** acabó de leer ayer.

Acabó de leér**sela** ayer.

Llevo leyendo horas.

21 La historia de la OEA

▶ **Relaciona** los textos de ambas columnas para tener más datos sobre la OEA.

Ⓐ

1. En 1889 se empezó a

2. La OEA lleva

3. De los 21 países fundadores, 20 siguen

4. Cuba dejó de

5. En 1991 la OEA acabó de

6. Honduras acaba de

Ⓑ

a. perteneciendo a esta organización.

b. desarrollar un sistema interamericano.

c. pertenecer a la OEA en 1962.

d. regresar a la OEA después de estar 23 meses fuera por el golpe de Estado que derrocó al expresidente Zelaya.

e. ampliarse al ingresar Guyana como miembro.

f. trabajando para mantener los gobiernos democráticos en las Américas desde 1948.

22 **Doscientos cincuenta años de historia**

▶ **Completa** las oraciones con la forma correcta de estos verbos.

| llegar | luchar | ser |

1. Después de la llegada del explorador John Cabot a la península de Labrador, los inmigrantes británicos empezaron a __llegar__ al Nuevo Mundo.

2. En 1775, las colonias británicas de América del Norte no querían seguir __siendo__ subordinadas del rey de Gran Bretaña.

3. Los colonos y las tropas inglesas llevaban __luchando__ un año cuando se escribió la Declaración de Independencia de los Estados Unidos.

4. Lincoln acababa de __llegar__ a la presidencia de los Estados Unidos cuando siete estados del sur decidieron dejar de __ser__ miembros de la Unión.

23 **Cambios**

▶ **Sustituye** las palabras subrayadas por una de las estructuras vistas.

1. Muchos ciudadanos <u>ya no creen</u> en los políticos.

   __Muchos ciudadanos han dejado de creer en...__

2. Un 40% de la población <u>todavía apoya</u> al antiguo candidato a gobernador.

   __Un 40% de la población sigue apoyando al antiguo candidato...__

3. <u>Ahora mismo han dicho</u> en la radio que el ministro de educación dejó su cargo.

   __Acaban de decir en la radio que el ministro...__

24 **Tus etapas personales**

▶ **Contesta.**

1. ¿En qué año empezaste a estudiar Español?

   __Empecé a estudiar Español en 2010.__

2. ¿Cuánto tiempo llevas haciendo esta unidad?

   __Llevo haciéndola desde la semana pasada.__

3. ¿Qué actividad sigues haciendo desde que eras pequeño(a)?

   __Sigo jugando al baloncesto.__

4. ¿Qué acabas de hacer?

   __Acabo de hablar por teléfono.__

Nombre: .... **Fecha:** ....

USOS DEL INDICATIVO (REPASO)

These are some common uses of the indicative mood in Spanish.

- *To express:*

  - *Certainty:* **Estoy seguro de** que **vendrá.**
  - *Opinions in the affirmative:* **Creo que es** simpático.

- *To ask about:*

  - *The purpose of an action:* **¿Para qué sirve** eso?
  - *The reason for something:* **¿Por qué** no **vienes?**
  - *A place or location:* **¿Dónde estuviste** ayer?

- *After:*

  - **Aunque,** *for real situations or known outcomes:* **Aunque** no **tengo** tiempo, iré.
  - **A lo mejor:** **A lo mejor voy** mañana al cine.
  - **Donde,** *for known, definite, or real places:* Compré la casa **donde nació** mi madre.
  - **Cuando** *and* **después de que,** *for habitual or past actions:* **Cuando hace** sol, me pongo contenta.

- *In conditional sentences to express factual or likely conditions:* Si tengo sed, **bebo** agua.

> Creo que voy a ser violinista de la YOA.

25 Información política

▶ **Relaciona** para hacer oraciones correctas.

A

1. Estoy segura de que mañana
2. Creo que el Congreso de los Diputados
3. ¿Por qué el Parlamento
4. ¿Dónde
5. Aunque la ministra
6. Cuando un presidente
7. A lo mejor el rey de España
8. ¿Para qué

B

a. está formado por un mínimo de 300 y un máximo de 400 diputados.
b. sirven las elecciones primarias?
c. visita hoy nuestra escuela.
d. explicó sus propuestas, los ciudadanos no las entendieron.
e. rechazó la propuesta de los liberales?
f. votan los peruanos que viven en el extranjero?
g. se aprobará la reforma de la Constitución.
h. deja su cargo, el vicepresidente ocupa su lugar.

26 La Orquesta Sinfónica Juvenil de las Américas

▶ **Completa** este diálogo con las palabras del recuadro.

por qué	creo que	para qué	estoy segura de
aunque	cuando	a lo mejor	

—¿Sabes __para qué__ se creó la Orquesta Sinfónica de las Américas?

— __Creo que__ se creó para representar la diversidad cultural

que existe en las Américas.

—Se creó en 2000, ¿no?

—No, no, en 2002.

—No sé, ¿tú crees?

—Sí, sí, __estoy segura de__ que se creó en 2002.

—¿Sabes cómo consigue la YOA el dinero para cubrir los costos?

—La YOA recibe dinero sobre todo de fundaciones y gobiernos de los países,

__aunque__ también algunas personas donan dinero.

—Creo que hay audiciones en todos los países. ¿Sabes __por qué__

lo hacen?

— __A lo mejor__ quieren elegir a los mejores músicos de cada país.

— __Cuando__ seleccionan a un músico, ¿sabes cuánto tiempo está

en la orquesta?

—Participa en la orquesta durante un año.

27 Política

▶ **Contesta** estas preguntas.

1. ¿Por qué crees que es importante votar en unas elecciones?

   __Creo que así cumplimos con nuestro deber.__

2. ¿Cuándo pueden votar los jóvenes en tu país?

   __Pueden votar a partir de los 18 años.__

28 Mis planes

▶ **Escribe** dos cosas que vas a hacer seguro este fin de semana y dos cosas
que no tienes tan claro.

1. Estoy seguro/a de que __iré de compras con mi amiga Sara__ .

2. A lo mejor __voy al cine__ .

Nombre: ....   **Fecha:** ....

29 Preguntas sobre política

(ANSWERS WILL VARY)

▶ **Lee** este mensaje de un foro y contesta las preguntas.

El foro del estudiante
Mensaje

Publicado: 28 Jun, 6:48

Hola a todos. Tengo que hacer un trabajo sobre los tipos de gobierno de varios países. ¿Pueden, por favor, ayudarme y decirme qué tipo de gobierno tienen en su país, quién es el jefe de Estado, qué instituciones políticas son las más importantes, qué cargos políticos forman el gobierno, quién está ahora en el poder, cada cuánto tiempo hay votaciones…? Muchas gracias a todos.

RESPUESTA

Hola. Estados Unidos, mi país, es una república federal.

Las instituciones más importantes son: el Senado, el Congreso

y la Corte Suprema. Con respecto a los cargos políticos tenemos un

presidente, un vicepresidente, 15 ministros —llamados *secretarios*—,

100 senadores y 435 diputados o congresistas.

Las votaciones presidenciales son cada cuatro años.

30 El gobierno de mi estado

(ANSWERS WILL VARY)

▶ **Contesta** estas preguntas sobre tu estado.

1. ¿Cuál es el gobernador de tu estado que más tiempo ha ocupado el cargo?

   Earl Warren, gobernador de California.

2. ¿Cuándo empezó a gobernar? ¿Sigue ocupando el cargo?

   En 1943 empezó a gobernar. No sigue en el cargo.

3. Si ya no es gobernador, ¿cuándo dejó de serlo? ¿Siguió estando en política?

   Dejó de ser gobernador en 1953. Murió en 1974.

31 **Mujeres presidentas de América Latina**

▶ **Lee** este texto y subraya los nombres que conozcas.

Presidentas en Latinoamérica

Laura Chinchilla, Costa Rica

Tomó posesión de la presidencia en mayo de 2010. Pertenece al partido Liberación Nacional y antes de ser presidenta, ocupó varios puestos en el gobierno de Óscar Arias, entre ellos el de vicepresidenta.

Cristina Fernández, Argentina

Sucedió a su esposo Néstor Kirchner en 2007. Lleva trabajando en política desde finales de los años ochenta. Fue senadora por la provincia de Santa Cruz y por la de Buenos Aires.

Michelle Bachelet, Chile

Candidata del partido Socialista, asumió la presidencia de Chile en marzo de 2006. Antes había sido ministra de Defensa, cargo que nunca antes en América Latina había sido ocupado por una mujer, y ministra de Salud.

Mireya Moscoso, Panamá

Ganó las elecciones presidenciales en mayo de 1999. Empezó a participar en la vida política de su país tras la muerte de su esposo, el tres veces presidente de Panamá Arnulfo Arias.

Rosalía Arteaga, Ecuador

Fue presidenta por dos días en febrero de 1997, cuando el presidente Abdalá Bucaram fue destituido. Arteaga era hasta ese momento vicepresidenta.

Violeta Chamorro, Nicaragua

Lideraba el partido Unión Nacional Opositora cuando fue presidenta de la República entre 1990 y 1997. Ingresó a la política después de que su esposo, editor de un periódico de la oposición, fue asesinado.

Lidia Gueiler, Bolivia

Fue presidenta de Bolivia desde 1979 hasta 1980 tras el fracaso del golpe de Estado de Alfredo Natusch contra Walter Guevara. Fue diputada y presidenta de la Cámara de diputados antes de ser presidenta.

Isabel Perón, Argentina

Fue la primera mujer presidenta en América Latina. Sucedió a su esposo, el tres veces presidente de Argentina Juan Domingo Perón, tras su muerte en 1974. Fue derrocada por un golpe de Estado en 1976.

▶ **Contesta** estas preguntas sobre el texto.

1. ¿Cuáles ocuparon puestos en gobiernos antes de ser presidentas? __Laura Chinchilla, Cristina Fernández, Michelle Bachelet y Lidia Gueiler.__

2. ¿El gobierno de qué presidenta acabó por un golpe de Estado? __El de Isabel Perón.__

3. ¿Cuáles fueron presidentas tras la muerte de sus esposos? __Cristina Fernández, Mireya Moscoso, Violeta Chamorro e Isabel Perón.__

Nombre: ....   **Fecha:** ....

SOCIEDAD

el apoyo	support	la pluralidad	plurality
la convivencia	coexistence	privado(a)	private
los deberes	duties	público(a)	public
los derechos	rights	el respeto	respect
la diversidad	diversity	la sociedad	society
la etnia	ethnicity	la solidaridad	solidarity
la herencia cultural	cultural heritage	la tolerancia	tolerance
la identidad	identity	los valores	values
la igualdad	equality		
el/la inmigrante	immigrant		
la integración	integration		
integrarse	to integrate		
la justicia	justice		
la libertad (de expresión)	freedom (of speech)		
el mestizaje	mix of races		
multicultural	multicultural		
las normas	norms		
la paz	peace		

Los dominicanos son el grupo **inmigrante** más grande de Nueva York.

---

32 **Educar en valores**

▶ **Escribe** en cada definición la palabra correspondiente del cuadro de arriba.

1. __La paz_____ es el hecho de vivir pacíficamente con otros.

2. __La solidaridad_____ es el apoyo a una causa o una acción, o a la persona que las defiende.

3. __La tolerancia_____ es el respeto a las opiniones y formas de actuar de otras personas.

4. __El respeto_____ es el reconocimiento del valor de alguien o de algo que hace que se les trate con cuidado.

5. __La integración_____ es unirse a un grupo para formar parte de él.

33 Valores

▶ **Completa** estas afirmaciones con las palabras del recuadro.

diversidad	*respeto*	*normas*	*justicia*	*etnia*
convivencia	*solidaridad*	*identidad*	*sociedad*	*derechos*

1 Las relaciones humanas se basan en el __respeto__, la __solidaridad__ y la convivencia.

4 La comunicación es necesaria para que exista una buena __convivencia__ familiar.

2 Los seres humanos deben unirse para crear una __sociedad__ sostenible fundada en el respeto hacia la naturaleza, los derechos humanos universales, la paz y la __justicia__.

5 La __diversidad__ enriquece la convivencia, aunque a veces sea difícil aceptar las diferencias.

3 La buena convivencia depende de que todos seamos capaces de respetar los __derechos__ y las necesidades de los demás. Para ello se establecen __normas__ y leyes que ayudan a regular esa convivencia.

6 La __identidad__ está asociada a factores como la __etnia__, la clase social y la religión. Todo esto nos ayuda a sentirnos miembros de un grupo.

34 La Constitución

▶ **Elige** la opción adecuada para completar estas oraciones.

1. La mayoría de las constituciones garantizan __la libertad__ de expresión.

   (a) la libertad   b. el derecho   c. el deber

2. Colombia, Art. 44.- La paz es un __derecho__ y un __deber__ de obligatorio cumplimiento.

   a. derecho / apoyo   (b) derecho / deber   c. deber / valor

3. Venezuela, Art. 130.- Los venezolanos y venezolanas tienen el deber de honrar y defender la patria, sus símbolos, __valores__ culturales [...]

   (a) valores   b. normas   c. derechos

4. Paraguay, Art. 75.- La educación es responsabilidad de la __sociedad__ y recae en particular en la familia, en el Municipio y en el Estado.

   a. tolerancia   b. etnia   (c) sociedad

Nombre: ....   **Fecha:** ....

LOS ARTÍCULOS

El artículo definido (el, la, los, las)	El artículo indefinido (un, una, unos, unas)
It is used when referring to a known person, object, or entity.	*It is used when referring to an unknown person, object, or entity.*
Spanish uses a definite article:	*Indefinite articles are omitted in Spanish:*
– *With nouns used in a general sense, and with abstract nouns:* Me gusta **la** fruta; **La** OEA lucha por **la** paz.	– *After the verb* **ser** *and before unmodified nouns referring to occupation, nationality, social status, or religious or political affiliation:* Mi madre es profesora; John es conservador.
– *With body parts and articles of clothing:* Dame **la** mano; Ponte **la** chaqueta.	– *After* **tener** *and* **llevar** *(to wear), when referring to nouns in a general, or generic, sense:* ¿Tienes hermanos?; ¿Llevas guantes para la nieve?
– *After* **jugar a**: Juan está jugando **al** tenis.	

Nos gusta mucho **jugar a las** cartas.

---

35 El artículo

▶ **Escribe** el artículo definido correcto para completar estas oraciones.

1 __El__ presidente elige a __los__ nuevos ministros de Sanidad y Educación

2 __Los__ ciudadanos se reúnen con __la__ nueva alcaldesa

3 __Los__ partidos conservadores apoyan __las__ propuestas de la ministra

4 __Los__ senadores rechazan __la__ Ley de Sanidad

5 __El__ presidente y __la__ primera dama juegan __al__ fútbol con __los__ niños de una escuela

6 __La__ libertad de expresión es __la__ base de __los__ derechos y __las__ libertades democráticas

36 Opiniones políticas

▶ **Subraya** las tres oraciones donde no se usan correctamente los artículos.

1. —Las dictaduras dejaron de existir en el siglo XX.

   —No, no, algunos países siguen teniendo las dictaduras como forma de gobierno.

2. —En México gobernadores no pueden estar más de seis años en su cargo.

   —Bueno, Víctor Cervera Pacheco fue gobernador de Yucatán ocho años.

3. —El Congreso de los Diputados aprobó ayer la ley que limita los refrescos en las escuelas.

   —No, no. Ayer aprobaron la ley, pero no fue esa.

37 ¿Es correcto?

▶ **Tacha** el artículo que no sea correcto. Algunas oraciones no necesitan cambios.

1. Mi doctora es una mexicana y es una doctora excelente.
2. Claudia me dio la mano para que no me cayera.
3. El gobernador de este estado es un republicano.
4. Javier, ponte la chaqueta y la bufanda para salir a la calle.
5. Me gustaría aprender a jugar al baloncesto.
6. Mi tío es el arqueólogo muy importante.

38 Una sociedad plural

▶ **Completa** este texto con el artículo correspondiente.

Una sociedad plural

__La__ diversidad surge cuando __una__ sociedad se forma con individuos de características diferentes. Si nos referimos a __las__ personas, estas características se refieren a __la__ edad, __la__ religión, __la__ nacionalidad, __la__ manera de pensar, __la__ formación, etc. __La__ diversidad enriquece __la__ convivencia, aunque sea difícil aceptar __las__ diferencias.

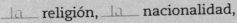

Nombre: _____   **Fecha:** _____

USOS DEL SUBJUNTIVO (REPASO)

- To *express:*

  - *Wishes and preferences:* **Quiero** que **vengas.**
  - *Value judgments:* **Es importante** que **votes.**
  - *Feelings and emotions:* **Me alegra** que **haya** normas.
  - *Opinions in the negative:* **No creo** que **esté** abierto.
  - *Negative expressions:* **Es imposible** que **gane** las elecciones.
  - *Doubts and uncertainty:* **Dudo** que **sea** gobernador.
  - *Recommendations:* **Te recomiendo** que **vayas** a la reunión.

- *After:*

  - **Aunque**, *for unreal or uncertain situations:* **Aunque llame** no iré.
  - **Para que** *and* **a que**, *to indicate purpose:* Te lo digo **para que** lo **sepas.**
  - **Donde**, *for unknown, indefinite, or hypothetical places:* Comemos **donde quieras.**
  - **Cuando, después de que**, *and* **antes de que**, *for future events:* Llama **cuando llegues.**

- *In conditional sentences to express unlikely, hypothetical, or contrary-to-fact conditions:* Si **pudiera** votar, elegiría al candidato republicano.

- *To give a negative command. In this case, only the present tense of the subjunctive mood is used:* **No comas** tantos dulces.

Deseamos que haya paz en el mundo.

---

39 **Eslóganes de la campaña**

▶ **Relaciona** para formar oraciones lógicas.

Ⓐ

1. Aunque la convivencia
2. Si fuéramos más tolerantes,
3. Mantén tu identidad cuando
4. Me alegro de que
5. Participa en cualquier sociedad que
6. Queremos que

Ⓑ

a. haya solidaridad y tolerancia para todos.
b. hayan venido tantos inmigrantes.
c. sea difícil, es deseable.
d. la convivencia sería más fácil.
e. respete nuestros valores.
f. te integres en la sociedad.

40 **Planes**

▶ **Completa** las oraciones poniendo los verbos entre paréntesis en subjuntivo.

Para:	Alicia
Asunto:	Planes

Hola, Alicia. ¿Qué tal estás?

Te escribo porque quiero que (saber) __**sepas**__ mis planes. Aunque

nuestra pequeña orquesta (ganar) __**gane**__ el concurso, no viajaré

con ellos al extranjero. Así que la semana que viene, cuando (volver, tú)

__**vuelvas**__ de tu viaje, me encontrarás en el aeropuerto esperándote.

Después de que tú y tus padres (visitar) __**visiten**__ a sus abuelos,

podremos ir a cenar donde tú (querer) __**quieras**__. Llámame cuando (ir)

__**vayas**__ a subir al avión.

¡Un abrazo!

41 **Una historia poco creíble**

▶ **Escribe** oraciones para expresar tus dudas e incertidumbres.

Mis antepasados

—Mis antepasados llegaron de España a América hace 1.000 años.

—Es imposible que _tus antepasados llegaran a América hace_

mil años.

—Pues sí. Además, mi abuelo me enseñó fotos de mis antepasados tomadas
en el siglo XVI.

—No creo que las fotos _sean del siglo XVI_.

—Pues mi abuelo me contaba de pequeño muchas historias sobre mis
antepasados los exploradores.

—No _me parece que tus abuelos fueran exploradores_.

42 **Y tú, ¿qué dices?**

▶ **Escribe** tus reacciones a estas situaciones.

1. No volverá a haber guerras nunca más.

   Desafortunadamente, creo que seguirá habiendo guerras.

2. En la mayoría de los países ya hay igualdad de género.

   No es cierto que en la mayoría de los países haya igualdad.

Nombre: ....   **Fecha:** ....

43 Un país multicultural

▶ **Observa** la tabla y decide si las oraciones son ciertas (C) o falsas (F).

INMIGRANTES QUE LLEGARON A LOS ESTADOS UNIDOS	LLEGADAS DESPUÉS DE 2000
América Latina	58,7%
México	34,9%
El Caribe	7,6%
Suramérica	7,8%
Centroamérica	8,3%
Asia	23,5%
Europa	8,9%
África subsahariana	3,9%

(http://www.cis.org)

1. Esta tabla refleja la gran diversidad étnica que hay en los Estados Unidos.   Ⓒ   F

2. El continente desde donde emigra menos gente es Europa.   C   Ⓕ

3. La mayoría de los inmigrantes procede de Asia y Latinoamérica.   Ⓒ   F

▶ **Corrige** la oración falsa.

ANSWERS WILL VARY

1.   **El continente desde donde emigra menos gente es África.**

44 ¡No me digas!

ANSWERS WILL VARY

▶ **Escribe** oraciones para expresar tu reacción a estos comentarios.

1 Un ciudadano anónimo regala una vivienda a una familia de inmigrantes.

Me alegra mucho que alguien haya sido tan generoso.

2 Una escuela organiza un encuentro multicultural para que los estudiantes y sus familiares tengan la oportunidad de conocer y apreciar otras culturas.

Creo que es una idea fantástica.

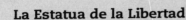

▶ **Lee** este texto y contesta las preguntas.

La Estatua de la Libertad

La Estatua de la Libertad es el lugar más visitado por todos los turistas que llegan a Nueva York y fue todo un símbolo para los miles de inmigrantes que llegaban a Ellis Island. Para la mayoría de estos inmigrantes la estatua simbolizaba la ilusión de la tierra prometida. Su imagen, la primera que veían cuando llegaban en barco a la isla, era la visión de la esperanza, un sueño de libertad e independencia. Aunque la diosa de la libertad no tenía este significado cuando se instaló. «Nunca fue construida para los inmigrantes», declara el historiador Barry Moreno.

Solo con el paso del tiempo y con las cartas que los inmigrantes enviaban a sus familiares, la gente supo que esta estatua daba la bienvenida al Nuevo Mundo.

La estatua fue regalada a los Estados Unidos por el gobierno francés en 1886 para celebrar el centenario de la Declaración de Independencia de los Estados Unidos. La estatua tiene una tabla donde se inscribió la fecha de la independencia, 4 de julio de 1776.

En la base del monumento, una placa de bronce lleva grabado el final del poema de la poetisa estadounidense Emma Lazarus titulado «The New Colossus». En este poema, la autora recordaba el proceso de inmigración e integración vivido por muchos ciudadanos de diferentes etnias.

Texto basado en: http://www.impre.com y http://www.lavanguardia.com.

1. Algunos dicen que la estatua es «un inmigrante». ¿Por qué?

   Porque la Estatua de la Libertad llegó de Francia.

2. ¿Qué significa la Estatua de la Libertad para los inmigrantes?

   Significa un sueño de libertad e independencia, una visión

   de esperanza.

Nombre: .... **Fecha:** ....

46 Un buen ciudadano

(ANSWERS WILL VARY)

▶ **Marca** en esta lista los tres valores que creas que son imprescindibles para ser un buen ciudadano.

☐ tolerancia   ☐ diálogo   ☑ igualdad   ☐ libertad

☑ respeto   ☐ justicia   ☐ integración   ☑ solidaridad

(ANSWERS WILL VARY)

▶ Ahora, **escribe**. ¿Por qué has elegido esos tres valores?

Pienso que para poder vivir en armonía en la sociedad es necesario respetar a los demás, tratar a todos por igual y ser solidario. Sin estos valores la convivencia sería muy difícil.

47 Normas de convivencia

(ANSWERS WILL VARY)

▶ **Escribe** cuatro normas para mejorar la convivencia en tu escuela.

1. Ser tolerantes y respetar a los demás.

2. Escuchar y dialogar.

3. Ser justos y solidarios.

4. Buscar la integración sin perder la identidad.

48 Un mundo mejor es posible

(ANSWERS WILL VARY)

▶ **Completa** estas oraciones. ¿Qué cosas se hacen o se deberían hacer para convertir este mundo en un lugar mejor?

1. Deseo que haya comprensión entre los pueblos.

2. Me alegra que cada vez seamos más solidarios.

3. Creo que debemos realizar trabajos voluntarios.

4. Si aceptamos a los demás, ellos también nos aceptarán.

49 **Planes para las vacaciones**

ANSWERS WILL VARY

▶ **Escribe** un correo electrónico a un(a) amigo(a) contándole tus planes para las vacaciones. Intenta usar el mayor número de palabras y expresiones del recuadro.

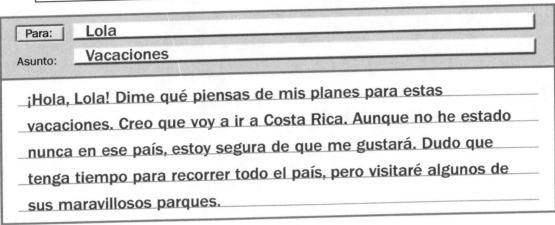

creo que	estoy seguro(a) de	dudo	a lo mejor	cuando
donde	no creo que	aunque	recomendar	si

Para:	Lola
Asunto:	Vacaciones

¡Hola, Lola! Dime qué piensas de mis planes para estas vacaciones. Creo que voy a ir a Costa Rica. Aunque no he estado nunca en ese país, estoy segura de que me gustará. Dudo que tenga tiempo para recorrer todo el país, pero visitaré algunos de sus maravillosos parques.

50 **Premio Nobel de la Paz**

▶ **Completa** la biografía de Rigoberta Menchú poniendo los verbos entre paréntesis en el tiempo de pasado correcto.

Una breve biografía

Rigoberta Menchú (1959-) (nacer) __nació__ en Chimel.

Cuando (tener) __tenía__ aproximadamente 20 años de edad, (aprender) __aprendió__ el español, ya que hasta entonces (hablar) __hablaba__ solo el quiché.

El 31 de enero de 1980, su padre (morir) __murió__ en la embajada de España en Guatemala, donde (encerrarse) __se había encerrado__ junto con 38 personas para protestar por la situación indígena. Poco después, Rigoberta (perder) __perdió__ también a su madre. Rigoberta Menchú (exiliarse) __se exilió__ a México y (dedicar) __dedicó__ su vida a luchar por los derechos de los pueblos indígenas y mestizos. En reconocimiento a su labor, en 1992 (recibir) __recibió__ el Premio Nobel de la Paz. En 1998, (ser) __fue__ galardonada con el Premio Príncipe de Asturias de Cooperación Internacional.

En 2007, (presentarse) __se presentó__ para ser presidenta de Guatemala, pero solo (recibir) __recibió__ el 3,1% de los votos.

Nombre: .... **Fecha:** ....

51 Historia de Barcelona

▶ **Numera** las oraciones para reflejar el desarrollo cronológico de la ciudad.

__3__ a. L'Eixample, un barrio de la época industrial, introdujo cuadras regulares.

__4__ b. Los edificios diseñados por Gaudí introdujeron el modernismo.

__5__ c. Antes de que se celebraran los Juegos Olímpicos, se reordenó la ciudad y se construyó un puerto deportivo.

__1__ d. Barcino fue fundada por los romanos y tenía templos, acueductos, una muralla...

__2__ e. El Palacio de la Generalitat fue construido en el año 1421 y se encuentra en el Barrio Gótico.

52 Visita guiada

ANSWERS WILL VARY

▶ **Contesta** las preguntas de estos turistas.

1 Me gustaría ver unos restos romanos. ¿Qué me recomiendas?

3 ¿Qué edificios puedo ver de estilo modernista?

2 ¿Adónde tendría que ir para ver un barrio obrero del siglo XIX?

4 ¿Adónde tendría que ir para ver dónde vivieron los atletas olímpicos?

1. Te recomiendo visitar los restos de la muralla romana.

2. Tendrías que ir al Poblenou.

3. Puedes ver la Pedrera y la basílica de la Sagrada Familia.

4. Tendrías que ir a la Villa Olímpica.

53 ¡Visita mi ciudad!

▶ **Escribe** un texto para animar a los turistas a que visiten tu ciudad. Esta información te puede ayudar a escribir tu texto.

| el origen de la ciudad | su ubicación geográfica | barrios antiguos |

| barrios modernos | lugares de interés |

A orillas de un gran lago vivían los potawatomi, pero a finales del siglo XVIII empezaron a llegar colonos europeos. Después de varias guerras, los potawatomi fueron expulsados de lo que hoy en día es Chicago. La ciudad creció y, aunque sufrió un terrible incendio en 1871, se recuperó y es hoy la tercera ciudad del país. En el centro y en las zonas cercanas al lago se encuentran los principales lugares de interés. Los modernos rascacielos comparten espacio con mansiones del siglo XIX. ¡Ven! ¡Chicago te espera!

> Pon aquí una foto para decorar tu texto.

54 Eventos multiculturales

▶ **Escribe** la información que conozcas sobre estos eventos multiculturales y lugares.

En Manhattan tiene lugar el Desfile de los Reyes Magos en enero.

En el Museo del Barrio en Nueva York hay exposiciones de artistas hispanos.

En mayo se celebra en Nueva York el Festival de Comida Internacional de la Novena Avenida.

Nombre: _____ Fecha: _____

¿Puedes contestar a cada pregunta en menos de 10 segundos? Suma dos puntos por cada oración correcta y resta 1 punto por cada error de ortografía o de concordancia.

DESAFÍO 1

1 ¿Cómo se llama la persona que estudia las civilizaciones antiguas a través de sus restos?

Arqueólogo(a).

2 ¿Cómo se llama el conquistador que puso fin a la civilización azteca?

Hernán Cortés.

3 ¿Qué civilización desarrolló un calendario basado en un año de 365 días?

Los mayas.

DESAFÍO 2

4 ¿Cómo se llama la segunda persona con más poder en el gobierno de un país?

Vicepresidente(a).

5 ¿Cómo eligen los ciudadanos a sus representantes?

Por votación.

6 ¿Dónde se aprueban las leyes?

En el Congreso.

DESAFÍO 3

7 ¿Cuál es la profesión de tu madre?

Es abogada.

8 ¿Cómo se llama la persona que llega a un lugar para establecerse en él?

Inmigrante.

9 ¿Qué harías por los demás si tuvieras dinero?

Crearía becas.

Cultura

Observa las imágenes y completa las oraciones.

Los mayas crearon un sistema de numeración para medir **el tiempo**. Inventaron el concepto de **cero**. Los tres símbolos básicos eran el punto, la raya y el caracol.

En la bandera de México el verde simboliza la **esperanza**; el blanco, la **pureza**; y el rojo, la **sangre** de los héroes nacionales.

Las **ruinas mayas** de Copán situadas en **Honduras** fueron declaradas Patrimonio de la Humanidad por la UNESCO.

Todos estos músicos pertenecen a la **Orquesta Juvenil de las Américas**

Desde hace más de 38 años, cada mes de mayo se celebra en Nueva York el **Festival de Comida** de la Novena Avenida.

CRÉDITOS FOTOGRÁFICOS

Cubierta J. C. Muñoz; Eitan Simanor, R. Jáuregui/A. G. E. FOTOSTOCK; Tony Anderson/GETTY IMAGES SALES SPAIN; I. PREYSLER/ATREZZO: HELEN CHELTON; **Contracubierta** J. M.ª Escudero; SERIDEC PHOTOIMAGENES CD; Luis Castañeda/A. G. E. FOTOSTOCK; Richard Ellis/GETTY IMAGES SALES SPAIN; **001** I. PREYSLER/ATREZZO: HELEN CHELTON **009** Prats i Camps **010** Prats i Camps; A. G. E. FOTOSTOCK; Photos.com Plus/GETTY IMAGES SALES SPAIN **011** Prats i Camps **013** Prats i Camps **015** Prats i Camps **016** ISTOCKPHOTO **017** Prats i Camps **018** Photos.com Plus/GETTY IMAGES SALES SPAIN **020** C. Díez Polanco; SERIDEC PHOTOIMAGENES CD; I. PREYSLER/ATREZZO: HELEN CHELTON **023** Antonio Díaz Costafreda **025** Prats i Camps **026** Mario Guzmán/EFE; Vince Bucci/GETTY IMAGES SALES SPAIN **027** Michele Westmorland, Photos.com Plus/GETTY IMAGES SALES SPAIN **028** AbleStock.com/HIGHRES PRESS STOCK; ISTOCKPHOTO **029** Photos.com Plus/GETTY IMAGES SALES SPAIN **030** COMSTOCK; ISTOCKPHOTO **031** Prats i Camps **033** Thinkstock Images/GETTY IMAGES SALES SPAIN **034** Image Source/GETTY IMAGES SALES SPAIN **035** Prats i Camps **036** Photos.com Plus/GETTY IMAGES SALES SPAIN; I. PREYSLER/ATREZZO: HELEN CHELTON; ISTOCKPHOTO **037** Photos.com Plus/GETTY IMAGES SALES SPAIN **038** Alain Nogues/GAMMA/COSMO PRESS PHOTO; ISTOCKPHOTO **039** Nancy Brown/GETTY IMAGES SALES SPAIN **040** J. V. Resino; F. Soltan/SYGMA/CONTIFOTO; COVER; PHOTODISC/SERIDEC PHOTOIMAGENES CD **041** J. L. Pelaez, Inc/A. G. E. FOTOSTOCK **042** MATTON-BILD **043** ISTOCKPHOTO **045** J. C. Muñoz **047** Thinkstock/GETTY IMAGES SALES SPAIN **050** J. Martin/MUSEUM ICONOGRAFÍA **054** Prats i Camps; ISTOCKPHOTO **055** ISTOCKPHOTO **057** Prats i Camps **058** Prats i Camps; Thinkstock/GETTY IMAGES SALES SPAIN; I. PREYSLER/ATREZZO: HELEN CHELTON; ISTOCKPHOTO **059** A. Prieto/AGENCIA ESTUDIO SAN SIMÓN **060** J. Jaime; Photos.com Plus/GETTY IMAGES SALES SPAIN **061** Image Source/GETTY IMAGES SALES SPAIN **062** Photos.com Plus/GETTY IMAGES SALES SPAIN; I. PREYSLER/ATREZZO: HELEN CHELTON; ISTOCKPHOTO; PHOTODISC/SERIDEC PHOTOIMAGENES CD **063** Prats i Camps **065** Prats i Camps **067** Prats i Camps; ISTOCKPHOTO **069** FOTONONSTOP **071** ISTOCKPHOTO **072** Rubberball/GETTY IMAGES SALES SPAIN **073** Prats i Camps; ISTOCKPHOTO **074** Photos.com Plus/GETTY IMAGES SALES SPAIN **075** FOTONONSTOP; HIGHRES PRESS STOCK **077** Prats i Camps **078** ISTOCKPHOTO **080** Prats i Camps; S. Enríquez; I. PREYSLER/ATREZZO: HELEN CHELTON; ISTOCKPHOTO **081** J. Montoro **082** C. Pérez; J. V. Resino; ORONOZ **083** AbleStock.com/HIGHRES PRESS STOCK; ISTOCKPHOTO **085** A. Toril; MATTON-BILD; Photos.com Plus, Thinkstock/GETTY IMAGES SALES SPAIN **087** Prats i Camps; I. PREYSLER/ATREZZO: HELEN CHELTON **089** Prats i Camps **091** Prats i Camps **092** J. Jaime; Prats i Camps; A. G. E. FOTOSTOCK; AbleStock.com/HIGHRES PRESS STOCK; ISTOCKPHOTO **093** María Teijeiro, Romilly Lockyer/GETTY IMAGES SALES SPAIN **094** Miguel Rajmil/EFE; Photos.com Plus/GETTY IMAGES SALES SPAIN; I. PREYSLER/ATREZZO: HELEN CHELTON **095** J. Jaime/Francisco Arribas; P. Vidal; José Luis Pelaez, Inc/A. G. E. FOTOSTOCK; AbleStock.com/HIGHRES PRESS STOCK; ISTOCKPHOTO **096** Photos.com Plus, Thinkstock/GETTY IMAGES SALES SPAIN; AbleStock.com/HIGHRES PRESS STOCK; I. PREYSLER/ATREZZO: HELEN CHELTON **097** Prats i Camps; COMSTOCK **098** FOTONONSTOP **099** Prats i Camps **100** J. Jaime; Prats i Camps; I. PREYSLER/ATREZZO: HELEN CHELTON; ISTOCKPHOTO **101** ISTOCKPHOTO **103** Prats i Camps **104** A. Toril; Photos.com Plus/GETTY IMAGES SALES SPAIN; I. PREYSLER/ATREZZO: HELEN CHELTON; ISTOCKPHOTO **105** Prats i Camps **106** COMSTOCK **107** Prats i Camps **110** Prats i Camps **111** SERIDEC PHOTOIMAGENES CD; V. Reyes; JAI/Nigel Pavitt/CORBIS/CORDON PRESS **112** Thinkstock/GETTY IMAGES SALES SPAIN **117** MATTON-BILD; Thinkstock/GETTY IMAGES SALES SPAIN **118** Thinkstock/GETTY IMAGES SALES SPAIN; I. PREYSLER/ATREZZO: HELEN CHELTON **119** Photos.com Plus, Thinkstock/GETTY IMAGES SALES SPAIN; AbleStock.com/HIGHRES PRESS STOCK; ISTOCKPHOTO **121** Prats i Camps **122** I. PREYSLER/ATREZZO: HELEN CHELTON **123** Photos.com Plus/GETTY IMAGES SALES SPAIN **124** Miguel Rajmil/EFE; Photos.com Plus/GETTY IMAGES SALES SPAIN **125** Prats i Camps **126** Glowimages/GETTY IMAGES SALES SPAIN **127** Prats i Camps; Thinkstock/GETTY IMAGES SALES SPAIN; ISTOCKPHOTO **129** ISTOCKPHOTO **130** J. Jaime; Photos.com Plus/GETTY IMAGES SALES SPAIN; ISTOCKPHOTO **131** AbleStock.com/HIGHRES PRESS STOCK **132** SERIDEC PHOTOIMAGENES CD **133** Thinkstock/GETTY IMAGES SALES SPAIN **134** J. Jaime; Prats i Camps; FOTONONSTOP; Thinkstock/GETTY IMAGES SALES SPAIN; ISTOCKPHOTO **135** Prats i Camps; Fancy/A. G. E. FOTOSTOCK; AbleStock.com/HIGHRES PRESS STOCK **136** J. Jaime **137** FOTONONSTOP **139** Photos.com Plus/GETTY IMAGES SALES SPAIN; ISTOCKPHOTO **141** A. G. E. FOTOSTOCK; Thinkstock/GETTY IMAGES SALES SPAIN **142** Nokia Corporation **143** Thinkstock/GETTY IMAGES SALES SPAIN **144** Stock Foundry/A. G. E. FOTOSTOCK; Thinkstock/GETTY IMAGES SALES SPAIN **145** Thinkstock/GETTY IMAGES SALES SPAIN **146** Balneario de Archena, S.A. **148** MATTON-BILD; S. Padura; Demetrio Carrasco/A. G. E. FOTOSTOCK; I. PREYSLER/ATREZZO: HELEN CHELTON **149** GARCÍA-PELAYO/Juancho/CENTRO COMERCIAL SUPERDIPLO; Prats i Camps; SCIENCE PHOTO LIBRARY, SuperStock/A. G. E. FOTOSTOCK; ISTOCKPHOTO **151** S. Enríquez; A. G. E. FOTOSTOCK; Photos.com Plus, Thinkstock/GETTY IMAGES SALES SPAIN; ISTOCKPHOTO **152** Laura Doss/Corbis/CORDON PRESS; Tips/Mizar/FOTONONSTOP; Gala Narezo, Photos.com Plus/GETTY IMAGES SALES SPAIN **153** SERIDEC PHOTOIMAGENES CD; Thinkstock/GETTY IMAGES SALES SPAIN **155** Scott Quinn Photography/GETTY IMAGES SALES SPAIN **156** Prats i Camps; SERIDEC PHOTOIMAGENES CD **158** Algar/BIBLIOTECA NACIONAL DE ESPAÑA

NOTAS

NOTAS

NOTAS

NOTAS

NOTAS

NOTAS